いつか陽のあたる場所で

乃南アサ著

新潮社版

8864

目次

いつか陽のあたる場所で

おなじ釜《かま》の飯

1

一昨日《おととい》から食べ続けていて、まだなくならない肉じゃがを温め直していたら、玄関の方でリン、リンと微《かす》かな音がした。おそらく何十年も前から玄関ドアに取りつけたままなのに違いない、古い真鍮《しんちゆう》製のベルの音だ。このベルは、ちょっとの振動にも敏感に反応して、ささやかな音を立てる。

——でも、揺れてるわけじゃない。

少しの間、台所の天井から下がっている古い白熱灯を見上げて、地震ではないことを確めてから、小森谷《こもりや》芭子《はこ》は廊下に顔を出した。再び、リン、リン、と音がする。廊下の先の、玄関脇《わき》にはめ込まれた細長い磨《す》りガラスを通して、黒っぽい人影が見えた。

「どちら、さま」

返答がない。不安とも苛立《いらだ》ちともつかない、嫌な気分がこみ上げてきそうになった。ガスの火を止めて、そろそろと窺《うかが》うように廊下に出てみた。古いドアノブが、かた、かた、と音を立てている。

「どなた?」

磨りガラスの向こうで動いていた人影が止まった。「あら、いるのかしらね」という声がする。思わず小さく舌打ちをしながら、芭子は玄関の鍵《かぎ》とドアチェーンを外した。夕闇《ゆうやみ》を背負って、少し建てつけの悪い木製ドアの隙間《すきま》から顔を覗《のぞ》かせたのは、小柄な白髪の老女だ。

「電気が点《つ》いてるから来てみたんだけど、鍵がかかってるもんだから、てっきり、いないのかと思っちゃった」

はす向かいの大石のお婆《ばあ》ちゃんだった。用があるときにはチャイムを鳴らしてくださいと、口を酸《す》っぱくして言っているのに、まるで効き目がない。

「習慣なんです、鍵をかけるのが」

密《ひそ》かにため息をつきながら、芭子は、自分の肩先ほども背丈のない老婆《ろうば》を眺めた。どう見ても七十を大分過ぎていると思われる人を相手に、文句を言っても仕方がない。

「ああ、そうだった、そうだった」と、大石のお婆ちゃんはにっこり笑って頷《うなず》く。

「この辺も、最近は物騒になったからねえ。うちのお父さんも、そう言ってるの。それに、若い女の子の一人暮らしときてるんだもの。それくらいして、当然だわよ」

「ですから、用があるときは、ここの、この、チャイム、鳴らしてくださいね」

「それでねえ、お唐茄子《とうなす》を煮たから、ちょっと持ってきてみたんだけど」

小柄な老婆は、ラップのかかった小鉢を差し出し、「薄味だけどね」と笑う。縮緬《ちりめん》のような細かなしわが、目尻《めじり》から頬《ほお》にかけて、柔らかく流れるように寄った。

「何せ、うちのお父さんが、血圧が高いでしょう。お医者さんにも注意されてるから、塩分は極力、控えめにしてるんでね」

「いつも、すみません。あの、容器を――」

「いいのいいの。今度、ついでの時でね。それより芭子ちゃん」

大石のお婆ちゃんは、ドアの隙間からわずかに家の中をのぞき込むような格好をして、目をしょぼしょぼとさせた。

「何度も言うようだけどさ、あんた、何か不便なこととか、ないの？」

「ああ、いえ――」

「本当？　一人で暮らしてて、分からないこととか、困ったこととか。遠慮してるんじゃあ、ないの？」

「――大丈夫です」

「他人様《ひとさま》の家のこと、こんなふうに言ったら何だけどね、でも、何十年もすぐ傍《そば》で暮らしてれば、自然と分かっちゃうってこともあるじゃない、色々と」

下から覗き込むような姿勢で顔を見られると、つい後ずさりしそうになる。芭子は、ドアノブに手をかけたまま「はあ」と曖昧《あいまい》に頷くより仕方がなかった。

「うちも同じだけど、ここもね、何せ、古い家でしょう。外国暮らしの長かった人には、さぞかし不便なんじゃなかろうかって、話してたのよ」

「話してたって――」

「うちのお父さんとか、この辺の人たちと」

今、玄関前の路地は、ひっそりと静まりかえっている。だが、たとえば芭子が仕事に出ている日中には、軒を連ねている家々から人が顔を出して、あちこちで立ち話をしているのに違いなかった。昔から、そうだ。学校が休みになる度に、芭子がよくこの町を訪ねていた、幼い頃から。

「その上、ほら、ここはしばらく空き家だったっていうことも、あるからね。家っていうのは人が住んでこそって、いうでしょう。住む人がいないとね、本当に傷《いた》みが早いから」

それから大石のお婆ちゃんは、皮膚がたるみ、血管の浮き出た手を突き出し、節くれ立った指をいちいち折り曲げながら、この家に関する心配要因を数え上げた。

二階の座敷、床の間近くの雨漏り。電気容量が小さいことと、ブレーカーが古くなっていることからくる漏電の心配。洗濯場の水道の蛇口のゆるみ。茶の間の戸と勝手口、二階の四畳半の雨戸の建てつけ。

「あの——私が帰ってくる前に、一通りは直してあるはずなんで」

「ええと、それから」

裏口近くの雨樋《あまどい》が外れかかっていることと、台所の窓の鍵穴のゆるみ。一度、シロアリが出たあとの柱の処理のこと。浴室のタイルにひびが入っていることまで。

「——気がつきませんでしたけど。シロアリの跡とか、お風呂場《ふろば》のタイルなんか」

呆《あき》れるのを通り越して、背筋さえ寒くなるようだった。何だって、そんなに細かく他人の家のことを知り、また記憶しているのだろうか。芭子は、まるで普段の生活まで覗き見されているような気味の悪さを覚えた。だが老婆は、当たり前だと言わんばかりの涼しい表情で、細かく頷くばかりだ。

「まあ、人も家もね、古くなれば、あちこち出てくるもんだから。どこも似たり寄ったり。それだって、ちょこちょこ手を入れてれば、まだまだ大丈夫。だからね、たとえば職人さんの手配のこととか、分かんないことがあったら、遠慮なんかしないで、言ってちょうだいっていうの」

芭子は、出来るだけ愛想のいい笑みを浮かべて、頭を下げた。

「カボチャも、いただきます。いつもすみません。じゃあ――」

そのままドアノブを引こうとしたのだが、大石のお婆ちゃんは「ほんとにねえ」などと言いながら、乾いた頬をさするようにしている。

「芭子ちゃんも、どうせなら、もう少し早く戻って来られればよかったのに。そうすれば、あんた、短い間でも、大好きなお祖母《ばあ》ちゃんと一緒に暮らせたかも知れないんだわよ」

「――そうですね」

「それどころか、美津子《みつこ》さんだって、もっと長く生きられたかも知れない。孫と一緒に暮らせるとなったら、寿命だって延びたでしょうよ――まあ、今さらねえ、そんなこと言ったって、しょうがないんだけど」

微笑《ほほえ》みだけは絶やさないまま、芭子は小柄な老婆の肩越しに、すっかり暮れた路地を眺めていた。どこからか、魚を焼く匂《にお》いが漂ってくる。コオロギの声が聞こえた。街灯から少し外れた薄闇の中を、ちょいちょいと、白っぽい猫が横切っていく。

「それでも、まあね、自分が長年暮らしてた家を、こうして孫が守ってくれてると思えば、美津子さんだって本望だろうけど――」

どう受け応《こた》えすればいいものかと考えていたとき、ふいに「おおいっ」という声が響いた。途端に、大石のお婆ちゃんはくるりと振り返り、「あら」と呟《つぶや》く。闇の向こうから、芭子にも見覚えのある老人が、がに股《また》で歩いてくる姿が見えた。

「何、やってんだよ、時分どきに！」

「はいはい、すぐ戻りますよ」

「すぐ、すぐって、おまえにとってのすぐってえのは、何時間のことなんだっ」

路地を斜めに突っ切ってくる老人の声が、ますます鼓膜を刺激する。ほぼ毎日、この怒鳴り声が聞こえてこない日はなかった。芭子自身は未《いま》だに言葉を交わしたこともないのだが、とにかく短気で気むずかしい老人であることだけは確かな様子の、大石老人だ。

「電話だって、かかって来てんだよっ」

「電話？　どこから？」

「知るかっ！　婆さんはどっかで油売っとると言ったら、切れた」

「何よ、もう。名前くらい聞いといてくれたって」

「おまえが二、三分なんて言って、出てくのが悪いんだろうが！」

「ああ、はいはい」

「早く飯にしろっ」

「分かってますって」

「ピーチクパーチク、役にも立たん無駄話ばっかりしやがって」

大石のお婆ちゃんが、「分かりましたから」と、野良猫《のらねこ》でも追い払うような仕草をすると、老人は途中で足を止め、それでも「早くっ」と怒鳴っている。老婆は、こちらを見て「本当にねえ」と小さく肩をすくめた。

「あんなに怒鳴ってばっかりいるから、血圧が上がるのに」

「誰のせいで、怒らなきゃならんと思っとるんだっ！」

「分かりましたって」

「まったく、他人《ひと》ん家《ち》の心配するまえに、てめえの亭主の心配をしろってえんだよ」

最後に、芭子に向かって顔をくしゃりとさせて、そそくさと立ち去る大石のお婆ちゃんの後ろ姿は、ひどく小さかった。「まったく」「お調子もんが」という声が、闇の中からまだ聞こえていた。芭子は、彼らの後ろ姿を少しだけ見送ってから、出来るだけ静かに玄関のドアを閉めた。台所に戻る間にも、また大きなため息が出る。長話の相手は疲れる。第一、嫌いなのだ。カボチャなんか。その上、一昨日から食べ続けている肉じゃがだって、本当は作ってみてから後悔した。嫌でも思い出すことがあるからだ。それでも捨ててしまうのはもったいないから、何としてでも片づけなければならないと、自分に言い聞かせていたところなのに。こんな、似たような食感のものばかり。

――駄目なのかな。貼《は》り紙でもしなきゃ。

ご用の方はチャイムを鳴らしてください。だが、そんな貼り紙をしたら最後、ひっきりなしに近所の誰かがやってきては、ピンポン、ピンポンと鳴らすことになりかねない。

再びガスの火を点けて、テーブルの上に置いたカボチャをぼんやりと眺めていると、またもやリン、リンとベルが鳴った。何なのだ、まだ話し足りないことでもあるのだろうかと思っていたら、次に、どきりとするくらい大きな音がピーンポーンと響いた。

「はあい！」

半ばやけ気味で声を上げたら、玄関の向こうから「私ぃ」という声が聞こえる。そういえば今日は水曜日だった。

「何だ、綾《あや》さん」

今度は小走りに玄関に向かった。開いたドアの隙間から、すぐさま「じゃーん」という声と共に、ポリ袋が突き出される。

「焼き秋刀魚《さんま》と、お漬け物！」

　短めの髪にくりくりパーマをかけている丸い顔がのぞいた。ポリ袋を受け取りながら、芭子は思わず「また秋刀魚」と応えていた。それでも自然に笑みがこぼれる。

「だって、この季節は、秋刀魚でしょう、やっぱり」

「そうかなあ。骨だってあって――」

「何、子どもみたいなこと言ってんの。あとね、いつものパンも持ってきたから」

　ジーパンにTシャツ、薄手のブルゾンといったいつもの服装で、背中には大きめのリュックを背負い、綾香《あやか》は身体《からだ》に比べて小さく見えるスニーカーの足を玄関に踏み入れる。彼女がやってきたという、それだけで、ひっそりと澱《よど》んでいた古い家の空気が、息を吹き返したかのように動き出す気がした。

「あれ、煮物の匂いがするじゃない」

　芭子は、思わず苦笑しながら「肉じゃが」と答えた。

「一昨日《おととい》からずっと食べてるの」

「いいじゃない。何日かたった方が、味が染《し》みてて」

「だけど、作ってから後悔したんだよね。ああ、こんなの作るんじゃなかったって」

　いかにも慣れた様子でさっさと流しで手を洗いながら綾香は「なんで」とこちらを

見る。

「だって、何年間、食べ続けてたと思う？　週に一度は、必ず食べてたんだよ」

綾香は、ああ、というように頷き、それからこともなげに笑顔に戻った。

「だけど、味つけが違うって。あそこの肉じゃがは、しみったれた薄い味だったじゃないよ。肉じゃがっていったって、肉なんか滅多に見かけなかったし、にんじんもちょびっと、タマネギなんか薄っぺらで、いつでも生煮えみたいでさ」

「それでも入ってるものが一緒なんだから、味だって、そうそう変わらないってことに、気がついちゃったんだよね」

すると綾香は、芭子の脇《わき》から鍋《なべ》をのぞき込み、そばにあった菜箸《さいばし》で煮崩れかけた小さなじゃがいもをつまむと、素早く頬張った。よほど熱かったのか、はふはふ言いながら、それでも、うん、うん、と頷く。

「大丈夫、大丈夫。違うって、全然」

「そうかなあ」

「あんた、こんな美味《おい》しい肉じゃがが出るようなムショだったら——」

「しいっ！」

思わず目を剝《む》いていた。口をもぐもぐと動かしながら、綾香は目を白黒させ、囁《ささや》くような小さな声で「ごめん」と肩をすくめる。芭子は、思い切りしかめっ面《つら》を作って「ちょっと」と声をひそめた。

「何度も言ってるでしょう? 私は留学してたことになってるんだからって。この辺は、どこで誰が聞いてるか、分からないんだよ。現に、つい今し方だって、さんざん、あれこれ言われたところなんだから」

「誰から」

「はす向かいのお婆《ばあ》ちゃん」

「——何を?」

「うちの、二階の雨漏りのこととか、窓の建てつけのこととか、それから、お風呂場のタイルにひびが入ってることまで。やたら細かく」

「さすが下町。親切だねえ」

「そうじゃなくて。他人の家のことでも何でも、手に取るように分かっちゃうってこと。家と家とがくっついてるし、よっぽど気をつけてないと」

綾香は、神妙な面持ちで、うん、うん、と頷《うなず》いている。

「だから、滅多なことは言いっこなしなんだからね。絶対に」

「分かった、分かった。あれ、カボチャも煮たの?」

「だから、これは今、もらったの」

「美味しそう」

「好き？」

「大好き」

「じゃあ、食べて。で、残ったら、持って帰って」

「そうする。ビール冷えてる？」

「ビールもどきが、二本だけ」

「ま、いっか。秋刀魚をさ、お皿に移しちゃって、早く食べようよ。お腹空《なかす》いてんのよ。それに、私ねえ、ちょっと聞いて欲しいことがあるんだ」

長い間、祖母が一人暮らしをしていた家の台所は、四畳半ほどの空間だった。そこに、古ぼけた大きな食器棚や冷蔵庫、ワゴンやテーブルなどが、ぎゅうぎゅうに押し込められている。

「向こうのちゃぶ台、まだ拭《ふ》いてないよね？　じゃあ、台ふきん、台ふきん、と」

それでも、芭子一人でいるときには何とも思わない広さなのだが、身体の丸っこい綾香が加わると、途端に狭く感じた。綾香は手早く濡《ぬ》れ布巾《ぶきん》を絞り、いかにも慣れた様子で、廊下を挟んだ反対側にある六畳間に向かう。その後ろ姿を眺めながら、ふと、この人もかつては主婦だったのだと思った。

「ねえ、聞いて欲しいことって？」

綾香が買ってきた秋刀魚を包装から出しながら、暖簾《のれん》越しに茶の間の方を見ると、ちょうどテレビに向かってリモコンを差し出していた綾香が、蛍光灯の明かりの下で、くるりとこちらを向いた。

「ちゃんと、落ち着いてからでいいんだけどね——私さあ」

「何？」

「あのさあ」

四角い皿に秋刀魚を移して、せめて大根おろしくらいは添えようかと思いながら、芭子は「何よ」と先を促した。

「好きな人、出来ちゃった」

え、と思わず顔を上げた。青白く見える蛍光灯の明かりの下で、綾香が「うははははは」と寝転がって笑っていた。

2

斜交《はすか》いに座って、互いに自分の前の皿をつつきながら、芭子は上目遣いに綾香を見た。小さな音量でつけているテレビの画面では、よく知らないお笑い芸人が動き回り、室内には、古い柱時計の振り子の音が、かっつん、こっつん、と響いている。

「好きな人って。誰を」

「名前は分かんないんだけどね」

「どこの人」

「谷中《やなか》ぎんざの」

「谷中ぎんざの？」

「魚屋さんの」

ははあ、それで今夜も秋刀魚なのかと思った。このところの綾香は、家にやって来る度に魚ばかり買ってくる。そのことには、芭子だって薄々感づいてはいたのだ。ついこの前までは焼き鳥だったり、コロッケだったり、他の惣菜《そうざい》のことも多かったのに、そんなに魚が好きだったかしらと思っていたら、何のことはない、店の人間が目当てだったということか。

「いくつくらいの人？」

すると綾香は箸を宙に浮かせたまま、「そうだなあ」と天井を見上げている。ヘアカラーの色が少し明るすぎるようだ。本人は若く見せたいのかも知れないが、かえって老《ふ》けて見える。

「三十――三か、四、ってとこかな」

「すごい年下じゃない！」

「いいじゃないよ、年下だって。笑うとさあ、何とも爽《さわ》やかでね、いい感じなのよ。かけ声だって威勢がよくって、白いTシャツがすごく似合っててねえ、何ていうのかなあ、周りがぱあっと明るくなる感じ」

「どの魚屋さん」

「真ん中くらいの――ほら」

谷中ぎんざなら、芭子だってこの町で暮らすようになって以来、ほぼ日常的に通っているから、大体の店は頭に入っているつもりだ。何軒かある鮮魚店を一つ一つ思い浮かべながら、果たして、どの店で働く人のことを指しているのだろうかと考えている間に、綾香は再び一人でうっとりした表情になっている。

「顔はね、どうってことないわけよ、だからって不細工ってほどでもないけど。だけど、何しろさあ、気っ風《きっぷ》と、性格。特に性格が、可愛《かわい》いのよねえ。今日だって『よう、おかえり』とか言ってくれちゃって」

顔をくしゃくしゃにして、身体を揺らしてはしゃいでいる綾香を見ているうち、またため息が出る。自分より一回りも年上の、この人の無邪気さは何なのだろうかという気がしてくる。

「最初の頃は『奥さん』って呼ばれてたんだけど、何回目かに『シングルよ』って言ったのね。そうしたら、それからは『お姉さん』って。それで、『ちゃんと栄養つけてよね』とかさ、言うのよう、もう！」

「ねえ——今度の髪の色さ、少し派手みたい」

「え——そうお？」

「前の色の方が、似合ってたな。落ち着いて見えたし」

すると「そうかな」と言いながら、綾香は上目遣いに自分の前髪をつまむようにする。知り合った当時は、こんなに表情の豊かな人ではなかった。もっと能面のような、固い顔つきだったはずだ。艶《つや》もなく、パーマ気もなかった髪には白いものが目立っていて、背中も丸く、実際の年齢を知ってからも、ずい分老けた人だと思ったことを、芭子は鮮明に覚えている。

「本当に？　この色、若く見えない？　パーマ屋さんの女の子に、そう言われたんだけど」

「無理に派手に作るより、自然にしてる方が若々しいって。髪型だって、もっと自然な感じの方がいいと思うよ。なんか、今のまんまだとかえって古くさい感じ」

古くさい、と呟《つぶや》いて、綾香は、くりくりにパーマのかかっている髪をしきりに撫《な》でつけていたが、やがて「分かった」と頷いた。

「芭子ちゃんがそう言うんなら、変えよう。今度は別の店に行ってこようっと」

「へえ、素直」

「若い人の言うことは素直に聞かないとね。何たって、流行にでも何にでも、敏感なのは若い人だもん」

改めて肉じゃがを頬張り、綾香は「美味しい」と目を細めている。この人は本当に美味しそうな食べ方をする。何年も前から、晴れて自由の身になったら、今度こそ自分の夢をかなえたいと言っていた彼女は、何しろ食べることが大好きだ。そして今、かねてから希望していた通り、パン職人への道を歩み始めている。

「それに、芭子ちゃんの場合は若いってだけじゃない。センスがあるもん。それも、お上品な」

「センスなんて。それに、いくら若いっていったって、まるっきり駄目よ、もう」

芭子は、秋刀魚《さんま》の身を突《つつ》きながら、つい、口元を歪《ゆが》めた。

「あれだけ長い間、あんな場所に入ってれば、流行も何もかも、まるっきり分からなくなるし。第一、今さらお上品も何も、あったもんじゃないじゃない」

しかも、ようやく自由の身になってみれば、頼るべき親兄弟にもそっぽを向かれ、ただ、こうして祖母が遺《のこ》した古い家をあてがわれただけだった。その時点まで、芭子は、大好きだった祖母の死さえ知らされてはいなかった。そして祖母の方も、芭子の本当の居所を知らないままだったのだそうだ。両親の言葉を信じて、海外に留学していると思いこみ、隣近所にも嬉《うれ》しそうに言って歩いていたらしい。

住む場所は与えてやったのだし、一時金として、多少の額は口座に振り込む。それが生前贈与だと思って欲しい。あとは自力で生きていけと、両親は弁護士を通して伝えて来た。自分たちには社会的地位と名誉があり、加えて弟には将来がある。それらを台無しにする権利は、芭子にはないはずだ、と。小森谷家には、最初から娘はいなかった。それが、自分たちと親戚《しんせき》一同の出した答えであると。

「その上、毎日毎日、あっちが痛い、こっちが痛いって言ってる、ほとんど年寄りばっかり相手にしてるんだもん。お洒落《しゃれ》しようって気にも、なりゃしないわ——もちろん、そんなこと、するべきでもないんだろうけど」

「どうして?」

「——そんな、人並みの暮らしなんか、望んだらいけないんだ」

もぐもぐと口を動かしていた綾香は「そうかなあ」と首を傾《かし》げている。芭子の中で小さな反発が芽生えた。

「そうかなあじゃ、ないでしょう」

「そうお?」

「当たり前じゃない。それなのに、どうして綾さんは、そんなに簡単に誰かを好きになったりするの、て、いうか、出来るの?」

「だって、もう償いは終わったんだよ。もう、普通に暮らしていいじゃない。これからはどんどん、取り戻して、いいんじゃないの?」

「取り戻せっこないよ。いくら自分たちでは、償いは終わったって思ってても、過去は過去として残ってるし、世間だって、もしも本当のことを知ったら、やっぱりそういう目で見るに決まってる。親兄弟でさえ、縁を切ってきたくらいじゃない。そんな相手と、誰が新しく関わりたいなんて思う?」

「そんな——」

「第一、私だって、もう来年で、三十になるんだよ」

「知ってる。私も、四十二になるからね」

「嫌んなっちゃう——最近、思うんだよね。結局、私の二十代って、何だったんだろうって」

「そりゃあ、あんた——」

ごくん、と口の中のものを飲み下し、ビールもどきに手を伸ばしながら、綾香はふうっと息を吐《つ》いた。

「一人の男に本気で惚《ほ》れて、惚れすぎて、ちょっと無理しちゃったっていうか、間違っちゃった時代って、とこ？」

芭子は思わず、ふん、と鼻を鳴らした。

「馬鹿《ばか》みたいだよね。本当に、どうかしてたとしか思えない」

「純情だったんだよ、それだけ」

「お蔭《かげ》で人生をどぶに捨てて」

「まあ、そういう時代もあったってことでさあ」

「これから先だって分かんないよ」

「だからさあ、芭子ちゃん——」

「一度、踏み外した者は、なかなかまともには戻れないって、さんざん聞かされたじゃない？　よっぽど性根を据えてかからないと、同じ過《あやま》ちを繰り返すって」

「それは、人によるって」

「だから、私は、そっちの人間かも知れないでしょう？　現に一度失敗して、そのお蔭で、私の人生は、まるっきり変わっちゃってるわけだし」

「はいはい。だから、芭子ちゃんの二十代の大半は、塀の中で終わりました」

「ああ、本当に、馬鹿！　どうしようもない馬鹿っ！」

つい、箸《はし》を投げ出したいくらいの勢いで声を上げてしまった。すると綾香は、ぽかんとした表情で、「芭子ちゃん」と、しげしげとこちらを見る。

「今日はまた、やたらと機嫌が悪いね。何か、あった？」

「ないっ！　何も、ない！　なさすぎっ」

時々、こういう気分になる。何日かに一度、本当に取り返しのつかないことをした、消しようのない過去を背負ったという実感が、津波のように襲ってくるのだ。刑務所に入っている間は、ここまで不安定になることはなかった。むしろ、晴れて自由の身になってからの方が、何ともいえない窮屈な不自由さを感じてしまうことがある。そして、世間の誰に対しても明らかに出来ない秘密を抱えて、親兄弟からも見捨てられ、これから先も、ずっと一人で生きていかなければならない自分自身が、何とも哀れで、惨《みじ》めで、何の価値もない疎《うと》ましい存在に思えてしまうのだ。

「——いいなあ、綾さんは」

芭子は、今度はカボチャの煮物を頬張っている綾香を、恨めしい気持ちで眺めた。彼女だって、同じ環境で数年間を過ごしてきた人だ。それなのに、知り合った最初の頃こそ暗く沈んだ表情を見せていたものの、その後は目に見えて明るさを取り戻したし、ことに芭子よりも三ヵ月ほど遅れて、晴れて自由の身になってからは、ますます生き生きとしてきている。失った年月を惜しむ様子もなければ、過去を悔いて、うちひしがれる気配すら微塵《みじん》もない。

「ねえ、綾さんは、急に怖くなったりすることなんか、ない?」

「何を?」

「だから——昔の顔見知りに会ったらどうしよう、とか。たとえば今のお店に、本当のことがバレたら、どうしよう、とか」

綾香は「ないよ」と、いともあっさり首を振った。

「そうなったら、なったときだし。もしも、そんなことになったって、生命《いのち》まで取られるようなことは、ないからね」

「――生命まで」

「でしょう？　そう考えれば、怖いことなんか、ない。第一――他の誰よりも、絶対に会いたくない相手は、いなくなってるんだし。私の場合」

綾香は諦《あきら》めたような微笑《ほほえ》みを浮かべて、それから小さくため息をついた。

江口《えぐち》綾香という、この小柄で丸っこい体型の、どこか愛嬌《あいきょう》のある顔つきの女性が、殺人の罪で懲役刑を受け、しかも、殺害した相手が彼女自身の夫だったと知ったのは、彼女が芭子と同じ舎房で生活するようになって、一年以上も過ぎた頃だったと思う。それまでは、懲役五年とだけ聞いていたから、詐欺《さぎ》とか覚醒剤《かくせいざい》とか、せいぜいそんな程度だろうと考えていた芭子は、「夫殺し」という言葉に、少なからずショックを受けた。

あの頃、綾香は夜中にうなされて飛び起きることが、時々あった。助けて、許して、と絞り出すような声を出し、悲鳴を上げることもあった。当初、芭子は、彼女が自分の犯した罪への許しを乞《こ》うているのかと思ったものだ。

――違うんだ。悪いけど、後悔なんて、してないし。

少し親しくなってから、思い切って尋ねてみたときの答えは、諦めたような微笑みと、そんなひと言だった。

綾香の犯行は、長年にわたる夫の暴力に耐えかねて、思い余ってのことだったという。地方都市の出身で、地元の中小企業にＯＬとして勤め、二十六歳で結婚した彼女は、その直後から、夫の暴力に苦しめられるようになったのだそうだ。

——最初は信じられなかったよね。だって、職場でも近所でも評判のいい人だったし、結婚前は本当に優しい人だったから。それに暴れた後は、必ず泣くんだ。泣いて謝るの。そういう姿を見てると、ああ、こんないい人なのに、怒らせて、暴れさせるのは、私が悪いんだ、なんて、思うようになっちゃって。

表向きは真面目《まじめ》で誠実な夫の、実際はまるで理不尽な暴力により、骨折や流産を幾度となく経験して、それでも世間体を考え、夫の愛情を信じて、逆に自分の方を責めながら、綾香は何年も耐えていたらしい。だが、その間にも何度となく「今度こそ殺される」「今度こそ死んでしまう」と思ったと、綾香は言った。それならそれで構わない、いっそ殺されてしまった方が楽になれると思ったことも、数え切れないほどある、と。

そんな夫の暴力が、ようやく生まれた我が子にまで及びそうになったとき、綾香は、自分の中で何かが崩れ落ちるような音を聞いたのだそうだ。結婚十年目で下した決断は、夫が二度と目を覚まさないようにすることだった。二度と再び、綾香と、そして幼い我が子に手を挙げられないように。そして、いつものように夫が酒を飲み、ぐっすり寝入ったところを見計らって、その首にネクタイを巻きつけた。

――もう他に、どうしようもなかったんだよね。どんなことしても、あの子を守りたかったし。守らなきゃいけないと、思ったし。

翌朝、綾香は、まだ眠っている子どもを夫の実家に預けに行き、その後、自ら警察に出頭したのだそうだ。

運動場の片隅で、初めてその話を聞いたとき、芭子は膝《ひざ》を抱えてしゃがみ込んだまま、乾いた地面にぽとぽとと涙をこぼした。それは自分でも驚くくらいに、実に久しぶりの、しかも自分以外の人のために流した涙だった。

「ねえ、芭子ちゃん。私たちはもう、ちゃんと罪を償ってきたんだよ。特に、芭子ちゃんはさあ、私なんかに比べれば、大したことしてないわけじゃない。いくら、褒められたことじゃないにしたって、相手だって下心があるから、馬鹿な目に遭ったわけだし――その程度で、私よりずっと長く我慢してきたんじゃない」

「だけど――動機が。綾さんとは、比べものにならないもん」

芭子が懲役七年の判決を受けて刑務所に収監されたのは二十二歳のときだ。罪名は昏酔《こんすい》強盗罪。好きで好きでたまらなかったホストに貢《みつ》ぐために、伝言ダイヤルで適当な相手を見つけては、ホテルに連れ込んで薬を飲ませて眠らせるという手口で、金を盗んだ。

時にはいきなり抱きつかれて、慌《あわ》てて逃げ出してきたこともある。脅されて、半ばレイプのように無理に関係を迫られ、最後には数枚の札を投げつけられて、それこそ屈辱に涙が出たこともあった。それでも五件目までは、何とか成功していたのだが、最後に出会った男が、身体《からだ》が大きかったせいか睡眠薬の効きが弱く、すぐに意識を取り戻して警察に通報したことと、ホテルの防犯カメラに、一人で出て行く芭子の姿が鮮明に記録されていたこと、さらに乗車したタクシーが容易に割り出されたことが、逮捕につながったらしい。

あの頃のことは今思い出しても、何もかもが夢の中の出来事のようだ。次々に見知らぬ男と待ち合わせをしては、腕を組み、ホテルに行った日々。財布から抜き取った金を持って、息苦しいほどの狂おしさで、一目散に夜の歌舞伎町《かぶきちょう》に向かった夜。来る日も来る日も親の目を盗み、嘘《うそ》をついて、卒業間近だった大学さえほとんど行かずに、ひたすら夜の巷《ちまた》をさまよっていた季節。そして、あの晩、明け方近くになってから、どこか満たされない思いを抱えたまま、自宅に帰ろうとした道のり。

——小森谷芭子さんだね？

タクシーを降りたところで、突然、闇《やみ》の中から呼び止められた。振り返ると、男が二人、歩み寄ってくるところだった。何だかひどく疲れていた気がする。捕まると思った瞬間、全身の力が抜けて、芭子はその場で大声を上げて泣き崩れた。これでおしまいだ、もう二度と彼に会えなくなる。何よりそのことが、たまらなく辛《つら》かった。玄関から飛び出してきた両親と弟にさえ、しばらくは気がつかなかったくらいだ。そんな芭子に対して、家族は、まるで他人を見るような目を向けていた。まるで表情というもののない、冷ややかな、何ともいえない彼らの目を、芭子は今も忘れることが出来ない。

「ねえねえ、話を戻すけど。彼のことよ、彼の」

「——彼？」

「だから、魚屋さん」

「ああ、彼——だけど私、まるで思い浮かばないんだけど。そんな人、いたっけ？」

やだなあ、と綾香は小さな目を大きく見開き、びっくりしたような表情になった。

「何で、気がつかないかなあ。あんな好青年に。大体、いつもいるんだけど。多分、あそこの息子なんじゃないかと思うんだけどさ」

箸の先をくわえたまま、その魚屋を思い浮かべるような表情になって、それから綾香は、またにんまりと笑う。

「ねえ、彼って、独身かなあ」

「分かるわけないじゃないよ、そんなこと。顔だって思い浮かばないのに」

「独身だったら、どうしよう」

芭子は、思わず呆気《あっけ》にとられて「どうしようって」と綾香を見た。

「お嫁さんにでも、なるつもりなの?」

「そこまで図々《ずうずう》しいことは、言うつもり、ないけどさ。でも、つき合うくらいなら、いいじゃない。とりあえず」

「ねえ」

うきうきした様子で秋刀魚《さんま》の骨をとっている綾香を眺めるうち、一つの疑問が湧《わ》いてきた。いや、実をいうと前々から一度、聞いてみたかったことだ。何しろ、こうして誰かを好きになったと言い出すのは、何も今回が初めてというわけではない。

「綾さんてさ」

「なに」

「懲《こ》りてないの?」

「何に」

「おとこ」

秋刀魚の骨を宙ぶらりんにしたまま、綾香は「え」とこちらを見た。芭子は「だって」と、自分も漬け物に箸を伸ばした。

「綾さん、どんな思いしてきたのよ。何回も何回も、生きるか死ぬかっていう目に遭わされて、挙げ句の果てに、こんな生き方を選ばなきゃならなくなったのは、誰のせいなの」

「――おとこ」

「でしょう？　それなのに、まだ懲りてないわけ？　私なんか、正直言って、もう懲り懲りだけどな」

また誰かを好きになって、自分で自分が分からなくなって、感情に振り回されるのなんか。また同じ失敗を繰り返すのではないかと思う。今度も泥沼に引きずり込まれるのではないかという気がする。

あの頃だって、芭子は毎日、大波に翻弄《ほんろう》されているような気分だった。親や、時として弟の財布からまで現金を抜き取ったり、母の指輪や、父から贈られたブランド品を売り払ったり、カードローンにも手を出して、その挙げ句に犯罪にまで手を染めたのは、とにかく、彼に群がる他の女たちから、何とかして少しでも抜きん出ていたい一心からだ。自分だけの彼でいて欲しかった。完全に平静ではなくなっていた。普通の感覚ではなかったと思う。

「だから、ホストになんか、手ぇ出さなきゃいいんじゃないよ」

「そうだけど――でも、ホストじゃなくたって、似たようなことになるかも。嫉妬《しっと》して、苦しんで、振り回されるかも知れないし、また貢がされるかも――私って、そういうタイプなのかも知れない」

「ちゃんとした相手を見つければ大丈夫だってば。芭子ちゃん、まだ三十にもならないんでしょう？　今からそんな心配ばっかりしてたら、どうなるのよ。人生、これからじゃない」

「だけど、どうせ好きになったって、結婚なんか出来ないんだよ。ちゃんとした相手なら、なおさら」

つい、箸《はし》を止めて綾香を見た。さすがの彼女も、背骨を取った焼き秋刀魚の上に大根おろしをのせ、たっぷりのポン酢醬油《しょうゆ》をかけていた手を止めた。

「でしょう？　私たちみたいのは、もう、人並みの幸せなんて、望んだらいけないんだから」

「――いけないの?」

「当たり前じゃない! 第一、どこの誰が、わざわざ好きこのんで私みたいなのと結婚したいと思う? こんな――」

前科者と、という言葉は、呑《の》み込んだ。自分と綾香との間で、互いに口にしたくない言葉の一つだ。

柱時計がボーンと一つ鳴った。

「あ、二階の雨戸、閉めてこなきゃ」

すっかり忘れていた。立ち上がった背中に、「ご飯、ある?」という声が被《かぶ》さった。

芭子は、もう一度「いけない」と振り返った。

「スイッチ入れるの、忘れてた。すぐに炊《た》くから」

古ぼけた茶の間にちょこんと座って、今にも秋刀魚を口に運ぼうとしていた綾香の顔は、文字通りおあずけを食らった子犬のように見えた。

「もう。しっかりしてるんだか、してないんだか」

階段を上る芭子の耳に、今度はそんなぼやきが届いた。

3

月曜日から金曜日までの、毎日午前十時四十五分、芭子は自宅から自転車で五分とかからない距離にある職場に到着する。不忍《しのばず》通り沿いに建つマンションの一階に入っている三つの貸店舗のうち、もっとも装飾が施されておらず、外見としては、大きな窓に白いブラインドが下がっただけの職場だ。その窓とアルミ枠のガラスドアに「オレンジ治療院」という大きな文字が貼《は》られている。

ここは求人情報誌で見つけた。学歴年齢経験不問。業務内容は、受付事務スタッフ。時給は他の求人広告と比較しても、最低のレベルだったが、住まいからも近かったし、試しに住所をたどって下見に行ってみたところ、あまり大きな治療院でないところが、かえって気に入った。

祖母の暮らした家に住むようになってから間もなくは、在宅で出来る仕事の方が、人に会わずにいられて気楽なのではないかとも思ったが、たまたま適当な仕事がなかった。それではと、刑務所でずっと作業に携わっていた洋裁や刺し子の技術などを生かせる職場はないものかと考えたこともあるが、こちらも容易には見つからず、また、たとえ似たような仕事があったとしても、内職と同様に単価が低すぎるため、とても生活出来そうになかった。

思い切って一般的な求人情報に目を通すようにもなったのだが、社会人としての経験がなく、ミシンかけ以外に技術もなく、資格も持っていない身としては、「あまり人と接することがなく」「歩いて通える距離で」「過去を詮索《せんさく》されない」職場など、そうそう見つかるものではなかった。

それでも面接だけなら、ずい分受けたつもりだ。だが、その都度新しく履歴書を書かなければならないのが、芭子にとっては何よりも気の重い作業だった。もちろん、正確なことなど書けるはずがない。あらかじめ自分に言い聞かせ、よくよく考えていた通り、七年間の空白の部分は「結婚」と「離婚」で埋めることにしていた。

――結婚してたんですか。ああ、地方に嫁いでね。へえ。

実際に面接に行き、履歴書を見せると、誰もが似たような反応を示した。少し気の毒そうな、それでいて、大して気にも留めていないような。じゃあ、お子さんは？ ああ、いないんだ。まあ、人生これからだから。心配いりませんよ。それで――結局、大学を卒業する前に結婚しちゃったんですか。ははあ、もったいないな。じゃあ、社会人としての経験は？ ああ、ないわけね。はいはい。

そして、理由は明かされないまま、数日後には「今回は残念ながら」という返答が来る。そんな繰り返しの果てに、この「オレンジ治療院」を見つけた。ここは、今枝《いまえだ》という五十代のマッサージ師が、ある医療器具メーカーと提携して経営していた。「先生」と呼ぶことになっている今枝は、芭子が差し出した履歴書にはさっと目を通した程度で、結婚に関することも何も聞かず、まず「一人は平気ですか」と言った。

「うちは、仕事内容としては、ごく単純なんだけど、何しろ一人で過ごす時間が多いんです。だから、すぐ退屈しちゃうような人だと、いくら楽でも続かないんだな。あなたくらい若いと、もう少し派手なというか、賑《にぎ》やかな職場の方が、いいんじゃないのかな」

今枝は、自分がこの治療院へ来て、実際にマッサージ治療にあたるのは、週に一、二日だけだと言った。同じ形態の治療院をあと三店舗持っていて、それぞれを順番に回っているのだそうだ。今枝が来ない日に患者を待ち受けているのは、大型のマッサージチェアが五台と、フットマッサージ器が三台、あとは簡単なハンドマッサージ器や、足踏み式のマッサージ板といった電動式のマッサージ器だけというわけだった。要するにここは、治療院というより、正確には医療器具メーカーのショールームとしての意味合いの方が強いらしく、これらの機械でも楽にならない症状の場合に限って、今枝が施療《せりよう》するというシステムらしかった。

「——あ、もしもし、小森谷ですが」

店に着いたら、まず受付に設置してある電話から今枝の携帯電話に連絡を入れる。相手が出ないときでも、留守番電話にメッセージを残すのが最初の仕事だ。ナンバーディスプレイ機能によって、芭子が間違いなく治療院の電話を使用していることが相手方に分かる仕組みになっているために、これで、きちんと出勤しているかどうかが分かるのだそうだ。しばらく世間から遠ざかっている間に、世の中は確実に進歩し、便利になっていた。

「予定通り、明日は、そっちに行くんでね」

返ってくる言葉は、毎日、似たり寄ったりのものだ。

「予約表を見たけど、まだ空きがあるみたいだから、今日のうちにさりげなく、患者さんに声、かけてみてよ」

今枝は、芭子が帰宅した後に、ほとんど毎日やってきて、そのときに伝票に目を通したり、予約確認やカルテの整理などをしているらしかった。何か問題があれば、時にはメモが残されていたり、こうして翌朝、電話で用を言いつけられることもある。それでも、実際に顔を合わせる時間といったら、ごくわずかなものだった。これで患者が来なければ、一日の大半の時間を、芭子はこの治療院で一人で過ごすことになった。未《いま》だに、つい人目を避ける癖が抜け切れていない芭子にとっては、偶然とはいえ、ありがたい職場だった。

「午後に、また一度、電話を入れてよ」

「分かりました」

短い挨拶《あいさつ》が終わると、芭子は店内の医療器具の電源を入れ、背もたれや座面に新しいタオルを置いていく。ここでの主な仕事は、患者の希望によってマッサージチェアの設定を変えたり、彼らが帰った後にタオルを交換したりすることと、おしぼりを渡したり、茶を淹《い》れてやるなどの簡単なサービスを提供すること、そして、料金を受け取ることだった。今枝が来る日には、もう少し複雑になるが、施術着やシーツ類など、糊《のり》づけの必要なものはクリーニングに出すだけだし、あとは今枝が自分で動くから、大して手間はかからない。

店の前を簡単に箒《ほうき》で掃いて、入り口の脇《わき》に置いてある植木鉢に水をやり、「電気治療・マッサージ」という看板を出して準備完了。格好だけは治療院らしく白衣を羽織って、十一時からの営業時間を迎える。入り口近くに設けてあるカウンターの内側に入り、ポータブルタイプの小さなテレビを眺めながら過ごすのが芭子の毎日だった。

患者の数は日によってまちまちだが、暇な時ともなると、午前中はゼロ、午後にやっと二人だけ、というときもあるくらいだ。

——今日は何人、来るんだか。

こうして人から見えにくい位置に座り、ブラインドの隙間《すきま》から通りを眺めたり、ただぼんやりと過ごしていると、芭子は時折、自分がねずみ取りの中のチーズになったような気分になった。チーズは、じっとしていなければならない。勝手に出て行って、獲物を誘い込むことさえ出来ないのだ。この、壁も天井も白く、機械だけが並ぶ空間の片隅で、白い服を着て、風景の中に完全にとけ込んで、ひたすら時が過ぎるのを待つことしか出来ない。

以前、刑務所で過ごしていたときも、自分は風景の中の一つでしかないのだと感じていた。一切の私物を取り上げられて、全員が揃《そろ》いの服を着て、名前すら呼ばれることなく、すべて号令に従って過ごしていた日々の中でも、芭子は、自分が人間の形をしただけの、カビやバクテリアのように感じたものだ。

——だけど、じゃあ、その前は？

目立ちたいばかり、彼から褒められたいばかりに、無我夢中で自分を飾り立てて、見栄《みえ》を張って、人と比べてばかりいた頃。金を使うことが楽しかったというより、財布からぱっと札を取り出したときの、周囲の反応が、ただ面白くてならなかった。犯罪と、プライドと引き替えに得た金でさえ、ほんの一瞬、自分の前を通過した程度に過ぎなかった――あの頃の自分が、まともだったと言えるだろうか。

――まともなら、あんな場所にまで行くことになるはず、ない。

芭子は、刑務所に入ってから改めて思い知らされたことが山ほどある。そのうちの一つが、何だかんだ言いながらも「ここまで」来てしまう人間というのは、相当なものだ、ということだ。

いくらあの当時、夜の巷《ちまた》で少しばかり悪そうに見えていても、相当に危なっかしい遊びに興じているように見えたとしても、本当に刑務所まで行くことになる人間となると、そう多くはない。大多数の連中は、その寸前の適当なところで踏みとどまるか、もう少し要領よく立ち回ることが出来る。ほどほどということを知り、誘惑からも、犯罪からも、するりと上手に逃れるものだ。それが出来なかった愚か者だけが、大した決断もないままに一線を越えてしまうのだ。同じ人間同士と言いながら、そこには明らかに、目に見えない「違い」があるような気がした。意志の弱さか、運の悪さか、誘惑への脆《もろ》さか――。

甘え。自制心のなさ。社会性の欠如。幼稚で浅薄な思考に、自己管理能力の低さ。

ことに逮捕、起訴から裁判を受けている間、芭子は、ありとあらゆる言葉を、あらゆる立場の人たちから情け容赦もなく浴びせかけられた。慰めも、理解も、まるでなかった。その結果、いつしか思うようになった。要するに自分など、生きていく価値もない、単なる出来損ない、ろくでなしに過ぎないのだ、と。

――だから家族からも見捨てられた。

ああ、いけない。こういうことを考え始めると、果てしなく気分が沈んでしまう。けれど、何しろ今日も暇になりそうだった。こんなことなら、もう少し忙しく立ち働くような職場を選ぶべきだったのだろうか。綾香のように身体《からだ》を使い、汗を流して、疲れ果てて眠るような職業の方が、いいのだろうか。

――でも、向いてないし。また履歴書を書くのなんて、まっぴらだし。

ようやく正午を回り、一人でぼそぼそと昼食をとり終えた頃、ふいにドアの開閉を知らせるセンサー音が鳴った。見覚えのある顔が「こんちは」とこちらを見ている。芭子も「いらっしゃいませ」と応《こた》えた。正直なところ、まさか、そういう挨拶を自然に口に出来るとは、ここで働くようになるまでは考えてみたこともなかった。少なくとも逮捕前には、アルバイトをしたことさえなかったからだ。

「よかったわあ、空いてて。今日はね、お友達と誘い合ってきたもんだから」

「お友達?」

「大芝さんと、須賀《すが》さんと。来たことあるでしょう?」

「大芝さんと――ああ、お友達なんですか。須賀さんも? 須賀、宇多子《うたこ》さん」

「そうそう。あと、もう一人、浜口さんていう、初めての人も来るから。もう、じきだと思うけどね」

牛見多英《うしみたえ》という、慢性の肩こりと腰痛《ようつう》を抱えている常連に近い患者だった。

「全部で四人ですか」

芭子が確認している間にドアが開いて、続々と似たような年格好の女たちが入ってきた。その途端、狭い店内はわんわんと響くような声で溢《あふ》れかえり、あっはは、いやだわ、と、大きな笑い声が反響した。濁声《だみごえ》とまでは言わないが、お世辞にも軽やかな、とか、鈴が鳴るような、とは言えない声だ。

「実はさ、今日はあたしたち皆ね、苛々《いらいら》してるのよ。ちょっとばかり面白くないことがあったもんだからさ」

端からマッサージチェアの準備をしている間に、牛見多英が改めてこちらを見た。

「それでね、とりあえずはマッサージでも受けて、すっきりして、それからカラオケに行っちゃおうかってことになったわけ」

「――はあ」

「すっきりするには、お喋《しゃべ》りが一番なんだけど、だからって、下手なところでくっちゃべってると、どこで誰に聞かれるか、分かったもんじゃないじゃない」

多英の言葉を大芝茂斗子《もとこ》が引き継ぎ、その続きを須賀宇多子が引き受ける。いずれも月に何回かは、この治療院に姿を見せる、六十代の女性たちだった。

「それにしても、腹の虫が治まらないっていうかさあ」

「本当、何だっていうんだろう。何か最近、ますます偏屈になってきたんじゃない？」

「あの――どうぞ、順番に」

とりあえず、彼女たちをそれぞれマッサージチェアに座らせて、膝《ひざ》の上にバスタオルを広げてやり、今日が初めてという浜口とき江には、カルテに必要事項を書き込んでもらう。それぞれに希望するマッサージコースを尋ねて、コントローラーをセットする間も、四人の女はひっきりなしに喋り続けていた。

「あそこの奥さんも、よくもあんなイヤなヤツと長い間、連れ添ってきてるわよ。かれこれ五十年だってよ」

「そんなこと。破《わ》れ鍋《なべ》に綴《と》じ蓋《ぶた》かも知んないじゃないさ」

「あんなヤツの家庭のことなんか、どうだっていいわよ」

「だけどさあ、ああも方々で嫌みったらしいこと言って歩いてたら、ますます嫌われちゃうし、大石さんの奥さんだって、そのうち皆から敬遠されちゃうわよねえ」

「大体、男ってえのはねえ――」

「あのぉ――」

「会社では、いくら威張ってたか知んないけど、とっくに定年して、そんな時代は終わったんだからさ」

「それまで家のことも、自分が住んでる町のことも知らん顔だったくせに、突然デカい顔して欲しくないっていうのよねえ」

「あの」

「本当に頭にくる。あの、大石のクソジジイってば。何かっていうと人を怒鳴り散らして」

「あのお！」

たまりかねて大きな声を出した。女たちは一瞬黙って、揃ってこちらを見上げてきた。それだけで異様な迫力がある。芭子は、思わず生唾《なまつば》を呑《の》みそうになりながら、「あの」とうつむきがちに口を開いた。

「じゃあ、スイッチを入れていきますので。途中で変な感じがしたり、ご気分が悪くなったりしたら、すぐに声をかけてくださいね」

別段、難しい操作があるわけではなかった。だが、こういった機械に対しては、まるで音痴というか、最初から苦手意識を持っているらしい彼女たちは、意外なほど素直に、今度は揃って神妙な表情になり、ようやく口をつぐんだ。

やがて、一列になってリクライニングシートに横たわった女たちの身体が、小刻みに揺れ始める。室内は、低く、静かなモーターの振動音と、買えば百万円くらいするというマッサージチェアの中をローラーが移動する音だけになった。揃って目をつぶり、中には薄く口を開いている女たちを眺めながら、芭子は、たった今の、彼女たちの会話を思い起こしていた。

——怒鳴ってばっかりいる大石のクソジジイ。

もしかすると、はす向かいに住む、あの大石さんのことだろうか。あの家のお爺《じい》さんも、年がら年中、怒鳴っている。と、いうことは、あの老人は、この辺りでは有名な嫌われ者ということか。そんなにトラブルばかり起こす人なのだろうか。

「ああ、気持ちいい。眠くなってきちゃうわねえ」

「あたし、寝てたわ。すっかり」

二十分間のリラックスコースで、まず全身を丁寧に揉《も》みほぐしたあと、今度は背もたれを起こして、肩、腰、手足などといった希望の部位に分かれた集中マッサージに移る。こちらのコースに移った途端、女たちは再びお喋りを始めた。

「そういえば、あのジジイ、根津《ねづ》のふれあい館でも喧嘩《けんか》になったって」

「いつ」

「先週かな」

「誰と」

「知らない。近所の誰かじゃない」

「どうして」

「細かいことまでは聞いてないけどさ。とにかく突然『馬鹿《ばか》もんっ』ていう怒鳴り声が聞こえたもんだから、見てみたら大石のジジイだったって」

「みっともないわねえ、本当に、もう」

根津のふれあい館なら、芭子の家とは目と鼻の先だ。そこで怒鳴っている大石といったら、やはりあの老人に間違いないという気がしてくる。カウンターの内側に立って、芭子はさり気なく聞き耳を立てていた。普段は隣近所のことなどに大した興味はないのだが、それでも満更知らないわけでもない人のことが噂《うわさ》されていれば、どうしたって何となく、気になるものだった。

「大体、偉そうにさあ、すぐに演説みたいなことを始めるのが、気に入らないね」

「それよ、それ。『地域住民の意識向上』とか、『相互協力と目的意識』とか言っちゃって」

「そんな難しいこと言われたって分かりませんよ、って言ったらさあ、フンッてやられたわよ。フンッて。いかにも人のことを見下したような顔をして」

「所詮《しょせん》はゴミ出しのこととか、カラス退治のこととか、その程度のことでねえ」

「あとはせいぜい、野良猫《のらねこ》の問題とかでしょ。そこに、何の理屈が必要だっていうんだか」

「はっきり言って、あの歳《とし》じゃあ、地震や火事のときだって、先頭に立って働くのは無理なわけでしょう。結局は若い人に頭下げて、助けてもらわなきゃならない立場だっていうのに」

「当たり前だわよ。あんなのが先頭に立ったって、何も出来やしないっていうの。足手まといになるだけ」

「だけど、いざとなったって、誰も助けてなんかくれやしないよ、きっと」

「ざまあ見ろだわよ、そうなれば」

ときに「気持ちいい」とか「ああ、楽ね」などという言葉を差し挟みながら、女たちは、それこそ豆蒔《ま》くほどの勢いで喋り続けていた。合計四十分のマッサージが終了してからもなお、芭子がサービスで出したお茶を飲みながら、まだ止めどなく喋り続けていた。

次の客が現れるまでは、急がせる必要はない。今枝からは、そう言いつけられている。ここは地域住民の、ある種の憩《いこ》いの場であり、高齢者にとっては大切な社交場でもあるのだからと。だから芭子はカウンターの内側に引っ込み、気配を消して、ただ彼女たちの話を聞いていた。それだけで、もう二時近くになった。

四人組が引き揚げていった後は、ぽつり、ぽつりと高齢の患者がやってきて、おとなしくマッサージチェアに身体を横たえて過ごしていった。ここに来る患者の平均年齢というと、おそらく六十代の後半か、もしかすると七十歳を超えていると思う。やはり顔見知り同士で雑談をしていく人たちもいたし、中には芭子と話したそうな素振りを見せる老人もいたが、芭子は、そういう受け答えが苦手だった。素っ気ないとは思いつつも、一度でも甘やかしたら、どんどんつけ上がってくるのではないか、私生活にまで踏み込んでこられるのではないかという恐怖と警戒心が取れないのだ。だから、男女を問わず、いつでも必要最低限の会話しか交わさずに、あとは極めて事務的に対応してしまうのが常だった。

五時を過ぎて、客足が途絶えた。ここは、午後六時に営業を終える。こうして患者がいないときには、営業時間中でも後片付けや掃除に取りかかり、使用したタオルなどを洗濯乾燥機に放り込んで、明日の朝には乾いているようにタイマーをセットする。こんな便利なものも、芭子にとっては初めて接する機械だった。そうして午後六時、もう一度院長に電話をしてから、看板をしまって明かりを落とせば、一日の終わりだった。

――もう少し寒くなったら、編み物でも始めようかな。

夕暮れの町を自転車を押して歩きながら、ふと考えた。そうでもしなければ間が持たない。それに今年は、娑婆《しゃば》で迎える、実に久しぶりの冬だ。今となっては小遣いをくれる相手もいなければ、自由に使えるクレジットカードも持っていない。乏しい給料の中で、少しでも暖かいものを身につけたいと思ったら、手編みもいいかも知れなかった。編み方は刑務所でしっかり身につけていた。マフラーから始めて、自分の分と、それから、綾香にも。

「あ――まだ仕事中？」

思いついて街角で立ち止まり、綾香の携帯電話を鳴らしてみた。綾香が働いている製パン店は、よみせ通りに面していて、七時で閉店になる。だが綾香本人は、販売ではなく製造の見習いスタッフとして、毎朝五時から出勤していたから、よほど忙しい日でもない限りは、意外に早い時間に帰らせてもらうことが出来るようだった。案の定、携帯電話を通して「もう帰ってるよ」という返事が聞こえてきた。

「ちょうど、ひと眠りしたところ」

「ちょっと聞きたいんだけど、綾さんて、何色が好き？」

「何、いきなり。それより芭子ちゃんも、もう終わった？　だったら、ご飯食べに行かない？　ちょっといい感じの店、見つけたんだ。居酒屋なんだけど」

こういうときが、たまにある。芭子たちが暮らし始めた、この根津、谷中、千駄木《せんだぎ》という界隈《かいわい》は、古い住宅地と商店と、多くの寺とが渾然《こんぜん》一体となっている地域だ。坂があり、路地があり、長屋があるかと思えば情緒たっぷりの老舗《しにせ》があり、そして寺院がある。ひっそりした路地の向こうに、ぽつりと風変わりな店があったり、また一つ角を曲がると、小さな居酒屋などが軒を連ねている地域があったりする。東京暮らしが初めての綾香には、そんな風景や暮らしぶりが珍しく、また新鮮に感じられるらしく、あちこちを散歩しては、新しい店を開拓してくるのだ。

「へび道抜けたとこの、喫茶店の角で待ってて。すぐに支度して、出るからね」

それだけ言って、電話は切れた。静かに携帯電話をしまいながら、芭子は、遠慮も躊躇《ためら》いもなく、こうして話の出来る相手が一人でも近くにいてくれることを改めて感謝した。

4

綾香が見つけた店は、上野桜木《さくらぎ》に向かう坂道を少し上ってから路地を入ったところにあった。闇《やみ》の中を進むと、ぼんやりと黄色っぽい明かりが灯《とも》り、「おりょう」という看板が出ていた。

「何か、ちょっとオヤジくさくない？」

「そんなことないって。それに土佐料理ってさ、芭子ちゃん、食べたことある？」

「土佐って、どこだっけ。知らない」

「高知だよ。ね、だから、いいかなあと思って。ほら、値段もそんなに高くないし」

確かに、店の横には「土佐料理」という幟《のぼり》と、その横には、簡単な品書きの黒板が立てかけられている。

外から見ると、何とも古くさく、薄暗そうな印象だったのだが、引き戸を開けて入った店内は、意外と明るく清潔そうに見えた。テーブル席が三つとカウンター席だけの、こぢんまりとした店に「いらっしゃい」という声が響いた。

「どこでも、お好きなとこに、どうぞ」

カウンターの向こうから、水玉模様の鉢巻に藍染《あいぞ》めの上っ張りを着た男が顔を出した。見るともう一人、こちらは白衣に白い帽子の男がいる。二人とも三十代の後半から四十前後に見えた。

それから十分もしないうちに、綾香と向かい合ったテーブルの上にはチャンバラガイとナガレコという貝の盛り合わせにカツオのタタキ、ゴボウ天、フルーツトマトなどが並んだ。

「それで、さっきのあれ、何だったの」

「あれ?」

「色が何とかって」

「ああ、色。綾さんの好きな色」

「そうだなあ。ピンクかな。どうして?」

べつに、と答えて何となく笑みを交わしながら、自宅で飲むときとは異なる、本物のビールのグラスを傾ける。ビールの味を美味《おい》しいと思うようになったのは、こうして綾香と飲むようになってからのことだ。無論、逮捕前にも大学の合コンなどで飲んだことはあったし、夜の歌舞伎町界隈を歩き回っていた頃は、他のアルコール類もずい分飲んだ。ワインも、カクテルも、見栄《みえ》を張ってシャンパンもずい分抜いた。だが、本当に美味しいと思っていたかは、定かでない。あの頃のことは、本当に、何もかもが幻のようだ。

「あのね」

「うん」

「今日、治療院に来たおばちゃんたちが、うちのはす向かいのお爺ちゃんの噂、してたんだ。多分、だけど」

「はす向かいって、あの、地獄耳のお婆《ばあ》ちゃんの？」

「ダンナさん。いつも怒鳴ってる人」

互いに箸《はし》を動かしながら、今日の出来事をぽつぽつと話す。綾香は、ふんふんと細かく相づちを打ちながら芭子の話を聞き、最後に「なるほどねえ」と顔を上げた。

「東京でも下町は、そうなんだね」

「何だか、大石のお婆ちゃんが可哀想《かわいそう》かなあと思って。旦那《だんな》さんのお蔭《かげ》で、自分まで仲間はずれになったら」

「だけど、五十年近くも連れ添ってるんでしょう？　相手のことだって、よく分かってるよ」

「そうかも知れないけど。自分の旦那さんがあんなに嫌われてるなんて、それも嫌じゃない？」

ひかえ目な声で会話を続け、ビールを飲んでは何気なく店内を見回しているときだった。ふいに、店の外が騒がしくなった。人が怒鳴り合っている声がする。女性の声も混ざっているようだ。芭子は、思わず綾香と顔を見合わせ、さらに首を巡らせてカウンターの向こうを見た。

「何ですかね」

水玉模様の鉢巻の男がわずかに首を傾《かし》げている。その間にも、外では「関係ないだろうっ」などという怒鳴り声がした。「やめて」「ちょっと」などという悲鳴に近い声も聞こえた。

白衣の男が素早くカウンターを回り込んでくると、そのまま大股《おおまた》で、店の外へ出て行った。

「……だって、この人がいきなり」

「いきなりは、どっちだっ。こんな日が暮れてからまで、傍若無人に人の家を覗《のぞ》き見して歩くつもりなのかっ！」

「覗き見だとっ！　失敬なこと言うなっ」

「ちょっと待ってください。ここ、店の前なんですから……」

戸が開いた分だけ、怒鳴り声もはっきり聞こえてきた。綾香が席を立って、ちょこちょこと様子を見に行く。芭子が「ちょっと」と呼んでも、小さく振り返って笑うばかりだ。だから芭子もつい、後を追った。戸口に立つ綾香の肩に手を置いて、そっと外の様子を窺《うかが》うと、ちょうど店の前に六、七人の男女がいて、薄暗い中で小競《こぜ》り合いのような状態になっていた。

「何だっていうんだ、あんたはっ」

拳《こぶし》さえ振り上げそうな勢いなのは、リュックサックを背負い、ハイキングのような格好をした白髪の男性だ。その脇《わき》に、おろおろとした様子の女性が二、三人、まとわりついている。

「何もかにもあるかっ。俺は、ここの地域の住民だっ」

迎え撃つかのように胸を反らしている老人の姿と、その怒鳴り声に、芭子は思わず口もとに手をやった。噂《うわさ》をすれば、大石老人その人ではないか。

「いいかっ。俺は前々から、あんた方のような連中に言いたいことがあった。いくら下町散歩だか探訪だか知らんが、こんなに日が暮れてまで、あちこちでフラッシュ焚《た》いて、写真を撮るような真似《まね》は、せんでくれっ」

「な――何が悪いんだ。ここは天下の公道だろうが。それともここは、あんたの町なのか、あんたの家でも撮ったっていうのかっ」

「勝手に写真を撮られる身にも、なってみろと言っとる！　この、分からず屋の田舎もんがっ」

ははあ、と思った。

この界隈では、こういう中高年のグループを毎日のように見かけるのだ。いずれも似たような服装で、地図などを持って、あちこちを歩き回り、ときには立ち止まって地図を覗き込んだり、また写真を撮ったりしている。そうしてハイキングか遠足のように歩き回るのが、ちょっとしたブームらしい。

「田舎もんとは何だ、田舎もんとは！」

「そうでなけりゃあ、どうして静かに暮らしてるもんの普通の暮らしを、そんなに覗きたがるんだっ」

「ちょっと、ひと言申しますけどねえ、べつにわたくしたちは、皆さんの生活を覗こうなんて気は、さらさらございませんでね――」

「ございませんでも、結果として覗いてるんじゃないか」

「それはただ、この辺りのお寺さんを回るついでにね、こういう、ごちゃごちゃっとした路地とか、長屋ですか？　ねえ、今どき珍しいような、そういう小さなお宅をですねえ」

「あんた、どこの山の手の奥様を気取っとるか知らんがね、口の利《き》き方に気をつけることだ。人を小馬鹿《こばか》にしたような言い方をしおって。見下すために、わざわざ来てるのかっ！」

「あら！　まあ、おお、怖い！」

「何も、怒鳴らなくたっていいじゃないですかっ」

「何なの、このお爺《じい》さんはっ」

金切り声が響いた。

ついにたまりかねたように、店の奥から水玉鉢巻も出てきて「まあまあ」と声を張り上げた。

「喧嘩《けんか》だったら、よそでやってくださいよ。この辺りは静かな町なんだ。歩き回るのは勝手だが、せめて地元のもんの生活を荒らさないでくださいっていうことなんですから」

綾香がこちらを振り向き、目顔で席に戻ろうと言った。芭子も、素直に従った。何となく、ドキドキしている。ちょっとウキウキもしていた。少しだけ、面白いものを見た気分だ。こんな感覚は初めてか、または、実に久しぶりだった。

「あれが、大石のお爺ちゃんだよ」

声をひそめて教えると、ビールを飲もうとしていた綾香は、「あれが」と目を丸くした。

「確かに強烈だわ、ありゃあ」

「すごいよね」

「でも、言ってることは筋が通ってるように思ったけど」

「それは、私も」

ただ理不尽に怒鳴り散らしてばかりいる人ではないのかも知れない。要するに、短気なのと、言葉がきついせいで、誤解を受けやすい人なのではないかという気がした。確かに、あの調子で怒鳴られたら、本当は自分が悪いと思っていても、なかなか素直には謝りにくくなるだろう。

「お騒がせしましたね」

数分後、白衣と鉢巻の二人が揃《そろ》って戻ってきた。

「どうなりました?」

すかさず綾香が尋ねる。

「爺さんが、蹴散《けち》らかしました。早く帰れ、二度と来んな、とか言って。下町散歩の皆さんは、何かまだブツブツ言ってたけどね」

「あのお爺ちゃんは、この辺のお寺でもよく見かけるんです。墓地に入って勝手に歩き回ったり、写真撮ったりしてる人がいるでしょう。そういう人を、やっぱり叱《しか》ってたりね」

「そうなの? この子ねえ、あのお爺ちゃんの家の近所に住んでるんですよ」

話題を振られて、思わず顔を上げると、カウンターの内側に戻った鉢巻の方と目が合った。途端に、何だか急に恥ずかしくなって、芭子は慌《あわ》てて目を伏せてしまった。

「ご近所でも、ちょっと有名みたい。短気で。ねえ?」

「ああ——うん」

「今ちょうど、その話、してたところだったんだよね」

「じゃあ、お客さんたちも、ご近所さん」

「最近、引っ越してきたの。ねえ? この子が半年くらい前。私は、それより少し遅れて」

まさかとは思うが、綾香が妙なことを口走るのではないかと、今度は別の意味でドキドキしてきた。ビールのアルコールが急に回ってきたのか、顔がかっかと熱い。

「へえ。すると、お客さんたちは、ご姉妹《きょうだい》で？　あ、じゃあ、ないかな」

「どう見えます？」

「職場の仲間、とか」

「まあ、同じ釜《かま》の飯を食った仲っていう感じかな」

職場は職場でも、それは刑務所内の作業場のことだ。ねえ、と笑って振り向かれて、芭子はますます落ち着かない気分になった。

「へえ、いいねえ。同じ釜の飯を。すると、何かの仲間だな」

芭子は懸命に「もうやめて」というサインを送った。綾香は大丈夫というように目を細めて頷《うなず》きながら、もりもりとカツオのタタキを食べていた。それから新しい客が来て、店内はようやく活気づいた。時折、顔を上げると、水玉鉢巻と目が合うような気がして、そのたびに芭子は慌ててよそを向いた。

「結構、いい店だったじゃない」

帰り道、ゆっくりと坂道を下りながら綾香が満足そうな声を出す。朝の早い彼女にとって、夜更《よふ》かしは大敵だ。だから、パン屋の定休日前でもない限り、解散は常に九時前だった。

「店の人もいい感じだったし」

「まあ、そうかな」

「ねえ、芭子ちゃん。どっちが好みだった？」

「好みなんて――」

「いいじゃない。とりあえず、どっち」

「強いて言えば――水玉の鉢巻の、方かな」

「水玉？　やだなあ、あれはね、豆絞りっていうんだよ」

やっぱり今どきの子なんだねえと笑っている綾香を見ているうち、芭子は、また何だか悲しくなってきた。

「知らないことだらけなんだよね、結局」

「しょうがないよ、若いんだから」

「歳《とし》の問題じゃなくて、世間が分かってないから。きっと非常識で、どっかずれてて、無知で」

「まあ――少しずつ、勉強していこうよ」

坂の両脇には寺の塀が続いている。街灯に照らし出されて、ほとんど人影のない道には、コオロギの声ばかりが響いていた。その中に、芭子の押す自転車の、車輪の回る音が、小さく微《かす》かに溶けていく。つい、大きなため息が出た。

「いつになったら、あそこのことなんか、思い出さなくなるのかなあ」

「そのうち、そのうち」

「なると思う？　本当に？」

「まあ——完全とは、いかないかも知れないけどね。なるよ、そのうち」

「早く、全部忘れたい！」

それでも、こんな風に夜道を歩いて、食べたいと思うものを食べに行ける。それだけの自由は取り戻したのだ。そのうちきっと、寝るときにも部屋の明かりを消せるようになる。一人で眠ることにも慣れたように。そう信じたかった。

「そのためには、こっちの暮らしを楽しくしないとね」

隣で綾香が呟いた。

「色んな人とつきあえるようになって、色んなことを勉強して、話にもついて行けるようになって、普通に、普通に生活出来るようにならないと」

「——難しいよねえ」

「でも、前はやってたんだから」

「だって、あの頃は学生だったし。似たような年頃の、同じような環境の子しか、周りにいなかったもん」

「だから、これから出来るようになればいいよ。芭子ちゃんの場合は、今よりほんの少しだけ、勇気出してさ。若いんだから、大丈夫だって」

「――そんなこと言ったって」

「確かに、塀の中の方が、よっぽど気楽だった部分もあるよ。でも、だからって、戻るわけにいかないんだから。もう二度と」

つい、隣を見た。芭子よりも小柄な綾香が、丸い顔をこちらに向けている。その瞳《ひとみ》が、きらきらと濡《ぬ》れているように見えた。

「綾さんさ」

「うん？　なあに？」

「若い頃、結構、可愛《かわい》かったでしょ」

「なあに、言ってんのよ、いきなり！　今だって可愛いのよ！」

ころころと笑う声が夜空に響く。やはり、パーマをとって髪の色を変えさせたのは正解だったと、その笑顔を見ていて思った。

5

翌朝は、妙に早く目がさめてしまった。いつもより早い時刻にゴミを出しに行くと、集積場にうずくまり、既にかなりの量が積み上げられているゴミ袋の山を崩している人がいた。そうっと近づいていくと、軍手をした姿で、その人はくるりと振り返る。途端に、まだ半分寝ぼけた状態だった芭子は、どきりとなって立ち止まった。

「お——おはよ、う、ございます」

眉《まゆ》を険しくさせ、ぎょろりとこちらを見上げているのは、大石さんだ。老人は、膝《ひざ》に手をついて、ゆっくりと立ち上がると、無言のまま、ぬっとこちらに手を差し出してきた。

「あ——え?」

「渡せ、それ」

「こ、これですか? あのう、でも、ゴミなので」

何を当たり前のことを言っているのだと思った。だが、まだ頭が完全に働いていない上に、緊張してしまって、上手《うま》く言葉が出てこない。これで、早朝から怒鳴られるようなことになったら、怖くて涙が出るかも知れない。

「だから、渡せ。中を確認してやる」

「い、いえ、いえ。その、生ゴミですし、汚いですから。ええと、あの、汚れますから。き、今日は、あの、燃えるゴミの日ですよね」

老人は、しかめっ面《つら》のままでこちらを見ていたが「そうだ」と応《こた》えると、ようやく手を下ろした。

「分かってるわけだな」

「――はい」

「じゃあ、間違いなく燃えるゴミだけなんだな」

慌てて何度も頷いた。すると老人は、ふん、と小さく鼻を鳴らして、再びしゃがみ込む。

「そんなら、それでいい。だが、見ろ、これを。ゴミの分別を、まるで守ろうともしておらんヤツが、こんなにおる」

確かに、半透明のポリ袋を通して、明らかにプラスチックと分かる容器や、ペットボトルなどの見えているゴミがあった。老人はそれをすべて確かめて、分別しているのだ。

手伝いましょうか、と言うべきかと思ったのだが、言葉が出てこない。ただ、ぼんやりと立っていると、大石老人は、またじろりとこちらを見上げて「あんたは」と言った。

「あ——あの——」

「どこの家のもんだ」

「あ、小森谷です。あの——お宅の、はす向かいの」

「小森谷? ああ、じゃあ、あそこの家の孫娘っていうのは、あんたか」

「お婆《ばあ》ちゃんには——あ、いえ、あの——奥さまには、いつもお世話になりまして」

「婆さんで、いい」

「——すみません」

「今日あたり、また何か持って行くって言っとったぞ。本当は昨日、行ったらしいが、留守だったって」

「あ——ちょっと、あの、帰りに寄り道っていうか、そのう、お友達と——」

「まあ、食ってやってくれ。婆さんの、楽しみの一つになってるらしいから」

それだけ言うと、もうこちらを振り向きもせず、大石老人は黙々と手を動かし続けている。芭子は、ゴミの山の片隅に、そっと自分のゴミを置いて、「失礼します」と戻ってきた。

――そんなに、怖い人じゃないのかも。

たしかに顔は猛々《たけだけ》しいし、昨日のように、間近で怒鳴り声を聞くと、震え上がるほどの迫力がある。だが、本当は曲がったことの嫌いなだけの、少し頑固な老人に過ぎないのかも知れないと思った。だとすると、治療院で思い切り悪口を言い合っていた女たちの方が、間違ったことを言っていることになる。あんなに大っぴらに。自信たっぷりに。

それからは何日かに一度、朝のゴミ出しの度に、大石老人と顔を合わせるようになった。何度顔を合わせても、険しい顔つきで、ぎょろりと見られると、どうしても緊張してしまう。いつも後から悔やむのだが、「おはようございます」のひと言さえ、すんなりとは出てこなかった。それでも老人の方では、芭子の正体が分かったせいか、または間違ったゴミの出し方をしていないせいか、「ああ」とか「うん」とか、短い返事を寄越すようになっていた。

「きっと、どっかにスイッチがあるんだろうね」

数日ぶりで家にやってきた綾香にその話をすると、例によって焼き魚を手みやげに持ってきた彼女は、せっせと箸《はし》を動かしながら言った。

「スイッチって?」

「怒りボタンっていうか。芭子ちゃんは、まだ一度もボタンを押してないんだよ」

「そりゃあ、ゴミ出して、ドキドキしながら挨拶《あいさつ》してるだけだもん」

「それだけの間にも、怒鳴られてる人はいるはずなんだよ。本人が気がつかないうちに、お爺《じい》さんの怒りボタン、押してるタイプが」

ほんの数秒の間に、そんなことをする人がいるものだろうかと考えている間に、綾香が「ねえ」と声の調子を変えた。

「実は、ちょっと、気になることがあるんだけど」

「何が?」

「例の——魚屋くん」

そういえば、このところ少し、魚屋の話をしなくなったと思っていた。綾香は半分、膨れっ面のような表情で「あのさあ」とため息をついた。

「最近、店の手伝いに来てる、女の子がいるんだわ」

「女の子? アルバイトとか?」

「女の子ったって、まあ、結構な歳のね。私よりは、ずっと若いけど。もう、派手で、化粧が濃くてね。それでさあ、なあんか妙な感じなんだよねえ。時々、彼と目を合わせては、二人でにこにこしちゃって」

　芭子の方では相変わらず、綾香が熱を上げているその魚屋が、谷中ぎんざの、どこの店の誰のことかも、絞りきれずにいるままだった。第一、正直な話、それほどの興味も抱いてはいない。だが、こうもがっかりした表情の綾香を見ていると、少しばかり気の毒な気もしてきた。

「やっぱり、彼女かなあ」

「だとしたら、店の手伝いまでするくらいなんだから、相当に親密ってことだよね」

「そんなあ！」

　悔しい。つまらない。何なのよ、と、その店で買ってきたに違いない焼き魚を箸で刺しながら、綾香は膨れっ面を崩さない。

「綾さん、子どもみたい」

「当たり前。気持ちは乙女《おとめ》のまんまなんだから。ちょっと、それより、ねえ、本当に彼女かなあ。そう思う?」

　見たこともない人のことを何度も聞かれ、芭子も、ついに「分かったよ」とため息をついた。

「今度、治療院に来てるお婆ちゃんたちにでも、それとなく聞いてみるから」

「そうしてくれる？　あ、だけどさあ」

今度は、綾香は空になったビールもどきの缶を、ぺこりと握りつぶしながら、唇を尖《とが》らせた。

「そういうのって、あんまり、アテになんないんじゃないの？」

「どうして？」

「だって、怒りボタンのお爺ちゃんのことだって、一方的に悪く言うばっかりの人も、いるわけじゃない」

それは、芭子も考えていたことだ。要するに、人の噂《うわさ》などアテにならないということかも知れない。最後には自分の目で確かめるに限る。同じようなことを、もうずい分前にも、人から諭された記憶があった。

――人の話にばっかり惑わされるから、そういうことになるんだから。

いつ、何のときに言われた言葉か、覚えていなかった。だが、これ以上考えると、また面白くない過去を思い出さなければならない気がしてくる。芭子は慌《あわ》てて気持ちを切り替えようとした。

「とにかくさ、聞くだけ聞いてみるよ。ビール、もう少し、飲む？」

「飲む飲む、飲んじゃう」

「やけ酒には、早いって」

晩年の祖母が、長い間一人で暮らしていた家は、ふとした瞬間に、何かの気配を感じることがあった。綾香の表情に、つい笑いながら台所に立った時にも、芭子は冷蔵庫の前あたりに、そんな気配を感じた。

――お祖母《ばあ》ちゃま？

そうであって欲しかった。こうして、妙な縁から親しくなった友人と笑い合っている孫の姿を、祖母が見守ってくれている。そう信じたかった。

「谷中ぎんざの？」

翌日の午後、週に一度のペースでやってくる七十前後の女性患者に、芭子はさり気なく話を切り出した。以前から、短いながらも言葉を交わすことのあった彼女は、芭子の方から話しかけると、途端に嬉《うれ》しそうな表情になった。

「真ん中へんにあるお店で、若いお兄さんがいてっていったら――ああ、『魚金』かしらね。だけど、そう若くもないわよ、もういい歳《とし》でしょうよ」

「そうなんですか？」

「今度、やっとこさお嫁さんをもらうことになったって、あそこん家《ち》の奥さんも、ほっとした顔、してたけどねえ」

「お嫁さんですか」

綾香の顔が思い浮かんだ。どんなにがっかりするだろうか。まさか、泣きはしないと思うが、さぞかし落ち込むに違いない。そう考えると、可哀想《かわいそう》になった。

「でも、苦労すると思うのね。何しろ、あの息子っていうのは、あなた、言いたくはないけど、ギャンブルが好きで」

「――そうなんですか？」

「今でこそ殊勝な顔して、毎日、店を手伝ってはいるけど、それは、少し前にものすごい借金をこさえて、親に肩代わりしてもらったもんだから、頭が上がらないっていうだけなの。ほとぼりが冷めたら、またやりますよ。ずうっと、その繰り返しできてる子なんだから」

「そんな人が、お嫁さんをもらうんですか」

「本当のことを知ってるかどうか。噂だとねえ、相手の人だって、知り合ったのが、何ていうの？ ほら、今、若い人が皆やってるでしょう、携帯電話とかで」

「え――あの」

「ほら、中学生くらいの子までやってて、売春とか、何か色々な犯罪に巻き込まれたりしてるじゃないの。ええと、あの、ほら――出会い系。そうそう、出会い系の何とかっていう。あれで知り合ったっていう、もっぱらの噂」

ああ、あれですか、と大きく頷《うなず》きながらも、芭子は、どんな顔をすればいいのか分からなくなっていた。出会い系サイトというものがあって、要するに、かつて芭子が犯行に利用していた伝言ダイヤルが、もっと手軽になったものだろうということは、何となく知っている。だが今、芭子が持っている携帯電話でも、そういうことが出来るのかどうかさえ分からないし、第一、パソコンも持っていないのだ。余計なお金を使ってはいけないと思うから、無駄な買い物は一切、しないことに決めている。今の芭子にとってはパソコンなど、不要なものでしかなかった。

「そんなもので、知り合って、ですか？」

とにかく、そういう手段で知り合った男女が、結婚にまで結びつくなどということが、芭子には不思議でならなかった。

「私らには分からないことだわねえ。まるで野良猫《のらねこ》みたいに、もう家に上がり込んで、女房面下げてるっていう話だから。あそこの夫婦も、商売熱心だし人は好《い》いんだけど、こと息子のこととなると、もう、まるっきり親馬鹿《おやばか》でねえ、駄目なのよ」

一見、世間の噂話になど、何の興味もなさそうに見える人だと思ったのに、ちょっと水を向けただけで、ほとばしるように話が噴き出してきた。芭子は熱心に相づちを打ちながらも、もしも自分が、こんな噂話のネタにされてしまったら、とてもここには住み続けられないだろうと、背筋の寒くなる思いだった。

――それにしても。

綾香も、よくそんな男を好きになったものだ。初めて興味が湧《わ》いてきた。果たしてどんな男なのか、その「野良猫」のような女とは、どういう女なのか、この目で見てみたい。

その日、仕事を終えると、芭子は自転車を押しながら谷中ぎんざに向かうことにした。昔ながらの商店街には、それぞれの店から柔らかい光が広がって、夕食前の買い物を済ませようとする人たちの姿が、闇《やみ》と光の中を行ったり来たりしている。スーツ姿のサラリーマンも、子どもを自転車に乗せた主婦も、誰もが店先の商品に目を落としながら、慌ただしく動き回っていた。

この道筋では、それぞれの商店が掲げている看板を木製で手描きのものに統一している。精肉店も、雑貨屋も、豆腐屋も電気店も、思い思いのデザインで工夫をこらした看板を掲げているのは、眺めて歩くだけでも楽しいものだ。それらの中から「魚金」を探して歩いているときだった。ふいに、雑踏の向こうから「馬鹿もんっ」という怒鳴り声が聞こえて、芭子は、ぎょっとなって立ち止まった。

「好い加減なことを、言うもんじゃないっ！」

ある店の前だけ、さあっと人が退《ひ》いて空間が出来た。一瞬、まさかと思いながら見てみると、やはり、あの大石老人だ。向かい合って立っているのは、オレンジ色の長い髪を大きくカールさせている女だった。

「何が好い加減だっていうんだよ！」

女の金切り声が響く。

「大体、それが魚屋で働く格好かっ！」

魚屋、と聞いて、人垣の間から頭上の看板を見上げ、芭子は思わずぽかんと口を開きそうになった。「新鮮・美味・鮮魚」といううたい文句に魚の絵柄も添えられて、はっきり「魚金」と書かれた看板が見える。

「うるさいっ。たまたま今日が、こうなんだよっ！　それになあ、どんな格好で仕事しようと、あんたに何か迷惑でもかけたっていうのかよっ！」

「生意気を言うなっ。新鮮な魚を扱う店先に、そんなホステスまがいの格好で立っとったら、魚が全部、腐って見える！」

「腐って見えるのは、おめえの目が腐りかけてっからじゃねえのかよ！」

「何だとっ。アジとサバの違いも分からんような腐れ女めっ！」

その時、店の奥から白いTシャツ姿の男が飛び出してきて、女の肩に手を置いたのが人垣の間から見えた。途端に「しゅんちゃあん」という甘えた声がして、女は男にしがみつき、その胸に顔をうずめている。

「何だろ、あの女」

芭子のすぐ前で、中年の女性が呟《つぶや》いた。

「猫かぶりなんだよ。もともとが」

隣にいた主婦らしい人も言っている。「ひどいよぉ、しゅんちゃあん」という声に、さらに、「あーん」という声まで続いたとき、今度は「ちょっと」という他の人の声が、被《かぶ》さった。

「さっきから一部始終を見てたけど、悪いのは、そっちだと思いますよ。お宅の奥さんか何か、知らないけど」

オレンジ色の髪の女を半ば無理矢理自分から引き離しているTシャツ姿の男は、何度見ても覚えられないような、どうということもない、いかにも冴《さ》えない男だった。しかも、女にしがみつかれたお蔭《かげ》で、Tシャツの胸にはべったりと口紅までがついている。彼は、周囲の人たちに「すいません、すいません」と頭を下げていた。

「ゆうか、悪くなあい！　このくそジジイが、いちゃもんつけてきただけじゃないかあっ！」

泣き真似《まね》が通用しないと思ったのか、女は再び振り返り、顎《あご》を突き出すようにして大石老人を指さしている。老人の怒鳴り声が再び「うるさいっ」と響いた。すると、すかさず「うるさいとは何だっ」と応酬がある。芭子はつい、刑務所時代を思い出してしまった。やはり同房に、こういうタイプの女性がいたのだ。

とにかく感情的で我が強く、どこで身につけたのか知らないが、こちらが何か言うと、ほとんどバネ仕掛けのように、反射的に攻撃的なことを言う女だった。しかも、その言葉がひどく人を不快にさせる憎々しさに満ちていて汚らしい。どんなときにも素直に人と会話をするということが出来ず、彼女と関わると、必ずトラブルになるからと、結局は皆から敬遠されていた。暴行と傷害に麻薬まで使っていた罪が加わっているという話の女だったが、入ってきた当初は、確か、二十歳《はたち》前だったはずだ。

「とにかく謝れよ。お客さんなんだから。謝ってくれよ、なあ」

しゅんちゃん、と呼ばれていたTシャツの男が懸命になだめる。だが、長い髪の女は、その髪を振り乱すように激しく首を振るばかりだ。また、芭子の前の野次馬が

「汚いわね」と呟いた。

「どっから拾ってきたんだか」

「このままじゃあ、魚金も終わるわね」

そんな声が聞こえているのかいないのか、「魚金」のしゅんちゃん一人が、大石老人や他の客にまで、必死で頭を下げている姿が悲しく見えた。何だか、とんでもないものを見てしまったような気がした。

やがて、オレンジの髪の女はぷいっと店の奥に消えてしまい、それと同時に、野次馬の人垣も崩れていった。大石のお爺《じい》ちゃんの姿も、いつの間にか見えなくなっていた。いつもの夕暮れ時の商店街を、秋の風が吹き抜けていく。芭子は自転車を押しながら、ゆっくり「魚金」の前を通り過ぎた。口紅のついたTシャツなんか、早く着替えた方がいいですよ、と言ってやりたかったが、そんな勇気の、あるはずもなかった。

「それでか」

次の水曜日、いつものように姿を見せた綾香は、珍しくメンチカツとポテトコロッケとを提げていた。

「昨日も一昨日《おととい》も、寄ってみたんだけど、暗くてさあ。何か買い物しにくい雰囲気だったから、やめちゃった。彼女の姿は、なかったんだけどね」

「出てっちゃったんじゃないの？」

「もしも本当に、そんなきっかけで知り合ったんだとしたらね」

久しぶりのメンチカツは、サクサクしていて美味《おい》しかった。

「何か、ガッカリだなあ。そんなヤツだったなんて」

「――聞きたくなかった？」

コロッケを頬張りながら、綾香は「まさか」と笑っている。

「いい男に限って女の趣味が悪いっていうのは、昔から決まってることだから、今さら驚いたりしないって。いいの、いいの。また次に、いい男、探すから」

「そんな決まりが、昔からあるの？」

「あるある。これから芭子ちゃんも、注意して見ててごらん。ちょっと素敵だと思う男は、大抵の場合ろくでもない女房を持ってるよ」

「――そうお？」

それは、綾香の男性を見る目の方に問題があるのではないか、あんな男に惚《ほ》れるくらいなのだから、と言いかけたとき、玄関のチャイムが鳴った。

「――何だろ、今頃」

「新聞の勧誘とか？」

「ＮＨＫとか」

一瞬、顔を見合わせ、それから慌《あわ》てて玄関口に走る。「はあい」と声を張り上げ、ドアを開けて、息を呑《の》んだ。そこに立っていたのは大石のお爺ちゃんだった。

「あ――あ――こん、ばん、は」

大石老人は、ちろりとこちらを見て、それから黙ってラップのかかった小鉢を差し出してくる。

「アジのなめろうを作ったから」

「なめろう――って、何ですか」

「なめろうを、知らんのか」

「す、すみません」

おずおずと小鉢を受け取りながら、慌てて頭を下げる。ついでに、よくよく中身を見てみると、薄ピンクと茶色が混ざったような、団子の出来損ないのようなものが見えた。

「アジを刻んだものに、ネギとか大葉とか、ミョウガを入れて、あと、味噌《みそ》とショウガで、よく叩《たた》いたものだ」

「叩く? あの――」

「包丁で。こう、皿に粘り付くくらいに、ダンダン、ダンダン、と叩くわけだな」

「これ、お婆《ばあ》ちゃんが」

「なめろうは、僕が作る。それに、今日は婆さんは、一泊旅行とやらで、留守だ」

老人はそれだけ言うと、さっと踵《きびす》を返そうとする。芭子は慌てて「あの」と、その後ろ姿に声をかけた。

「ごちそうになります。ありがとうございます」

老人は後ろ姿のまま、軽く手だけ振って立ち去っていった。ドアを閉めて振り返ると、茶の間から、綾香が廊下に顔を突き出していた。

「ボタンでしょう？　何だって？」

怒りボタンを縮めて、最近、芭子と綾香との間では、大石老人の呼び名はボタンになっている。芭子は、今頃になって足音を忍ばせるような格好になりながら、茶の間に戻って小鉢を見せた。

「アジの、なめろうっていうんだって。ボタンが、自分で作ったんだって。お婆ちゃんが旅行で留守だから」

綾香は「へえっ」と目を丸くして、さっそくラップを外しにかかる。箸《はし》の先で少しだけ食べてみて、彼女はさらに大きく目を剝《む》いた。

「ちょっと、美味しいよ！」

「本当？　どれどれ」

綾香の表情を確認してから、芭子もそっと、なめろうとやらを口に運んだ。初めての味だった。アジと聞いたが生臭くもなく、味噌の風味にとけ込んだショウガやシソの香りが爽《さわ》やかだ。

「これ、生なんだね」

「芭子ちゃん、あんた、ボタンに気に入られたね」

「そう？　何で？」

「辺り構わず怒鳴り散らして歩くような偏屈爺さんが、こんなもの、作ってきてくれるなんて、すごいよ」

「やっぱり、きっちりゴミ出ししてるのが、よかったかな」

「そういうとこ、私たちは、きっちりしてるからねえ。あそこでの暮らしが長かった分、身体《からだ》にたたき込まれてることがあるから」

「――そういうこと？」

「じゃない？　私も店で言われるもん。最初は歳《とし》が歳だから心配したけど、案外、動きが機敏で無駄がないから感心したって」

二人で目を合わせて、つい肩をすくめるように笑ってしまった。たとえ〇・一パーセントでも、刑務所生活で役立つことがあるなんて、思ったこともなかった。

「でも——本当のこと、知らないからだよね、きっと」

ちょっと浮き浮きした気分になると、すぐに現実に引き戻される。つい小さくため息をついていたら、綾香が澄ました顔で「それは、それ」と言った。

「何でもいい方に考えなきゃ。出来るだけ。ねえ、ところで、このアジ、どこで買ったんだと思う?」

「——魚金、とか」

「そういうとこ、あるかもね、ボタンって」

確かに、そうかも知れなかった。大石老人も、もしかすると大声で怒鳴り散らした後には、密《ひそ》かに反省することがあるのかも知れない。少なくとも、こうして自ら包丁を振るった料理などを届けてくれるところがある人だ。ただ単に短気で怖いだけとは、言い切れない。

「色んな人が、いるんだねえ」

「本当だよ、塀の向こうも、こっちもね」

「誰がいい人で、誰が悪い人かなんて、まるで分からない」

「その分、向こうの方が楽かもね。何しろ全員、悪いんだから」

「やめてよ、そういう自虐《じぎゃく》的なこと言うの」

「ごめん、分かった。ねえ、ご飯、炊《た》けてる？　これ、ご飯に合うよ」

箸の先に残ったなめろうを味わいながら、芭子は「いけない」と目を瞬《しばたた》いた。

「ごめん、すぐスイッチ入れるから」

慌てて立ち上がった芭子の後ろから「またぁ！」という悲鳴に近い声が聞こえた。

ここで会ったが

1

顔を上げて息を吐いたら、灰色の曇り空に、白くぼんやりと溶けていくのが見えた。アスファルトの地面は、さっきまで降っていた雨のせいで黒く光り、ところどころに残っている水たまりだけが白い鏡のように見える。どこからか音楽が流れてくるが、安っぽくて無駄に賑《にぎ》やかな分、余計淋《さび》しげに聞こえた。少し先を、二列に並んで歩く幼稚園児たちがかぶっている黄色い帽子さえ、妙に空々しく、哀れに見えるほどだ。

「何かさあ、悲しくなってきちゃった」

もう一度、白い息を吐き、小森谷《こもりや》芭子《はこ》は唇を尖《とが》らせた。隣には、いつものリュックを背負って、片手にスナック菓子の袋を持ち、さっきから、ほとんど休む間もなく口を動かし続けている江口《えぐち》綾香《あやか》がいる。

「何で？」

芭子は「だって」と恨めしい気分で綾香を見た。

「せっかく来たのに。盛り上がらない。まるっきり」

春の動物園といったら、暖かで、うららかで、明るい色彩が溢《あふ》れていて、人も多くて賑やかで、いかにも楽しそうな雰囲気を想像するではないか。それが、空はどんより、息が白く見えるほど寒くて、おまけに人影もまばらと来ている。

「そんなことといったって、しょうがないよ。予報でも今日は雨だっていってたのに、それでもって、来たんだから」

「だって、お弁当だって一生懸命用意しちゃったし。せっかく決めたんだもん」

「そういうとこ、意外と頑固なんだよね、芭子ちゃん」

「何だって、こういうときに限って予報が当たるかなあ、もう。第一、昨日《きのう》まで、あんなに暖かかったのに」

「まあ、よかったじゃないよ、思ったより早く、雨があがって」

「その辺に座ろうと思ったって、ベンチだって濡《ぬ》れてるし」

「だから、お尻《しり》の下にスーパーの袋、敷けば平気だってば」

「それに、この人の少なさ。いくら何でも、空《す》きすぎだよ、これじゃあ」

「遠足とか、中止にしたところも多いのかも知れないねえ」

「私、何年ぶりだったと思う？　楽しみにしてたんだから」

「不思議な子だねえ。芭子ちゃん、人混みは嫌いって、いつも言ってるのに」

「時と場合によるの」

「そんなもん?」

「あと、程度とね。ここは賑やかじゃなきゃ駄目な場所だと思わない? その上、たまにいると思えば、カップルばっかりだし」

「おお、可哀想《かわいそう》、可哀想。芭子ちゃんは、彼氏と一緒じゃなくて」

「自分だって、そう思ってるくせに」

こうして日中に二人で出かけるのは、ほとんど初めてに近かった。カレンダー通りに土日と祝日が休みのアルバイトをしている芭子に対して、綾香の仕事は毎週木曜日しか休みがない。それがたまたま今週に限って、芭子の仕事が木曜日も休みになった。そこで、二人で相談して、動物園に行ってみようということになったのだ。上野動物園は、芭子たちが住んでいる千駄木《せんだぎ》からなら容易に歩ける距離にある。桜は終わってしまったけれど、緑が芽吹く頃だし、弁当や菓子を持って行けば、入園料以外はほとんど散財もせずに、一日を楽しく過ごせるに違いない、というのが、当初のもくろみだった。

「パンダだって、寝返りひとつ打たないで、顔も見せてくれないし」

「知らなかった、いつの間にか一匹になっちゃったんだね」

「パンダは一頭でしょ。ゾウは、ずっと地面ばっかり蹴《け》ってるし」

「芭子ちゃんと一緒。拗《す》ねてるんだよ」

もう、と膨れっ面《つら》でにらんでいる間に、綾香は「ほら」と先の方を指さす。

「猿山、猿山。お猿さん、見よう」

言うが早いか、綾香はもう芭子の腕を引っ張って、地面を大きく掘り下げたプールのような場所に、コンクリートの山が築かれているコーナーへ近づいていく。淡い毛色をしたニホンザルたちが、あちこちで追いかけっこをしたり、また、毛繕《けづくろ》いをし合ったりしていた。中には、さっきまでの雨で出来た水たまりの水を、手で跳ね飛ばして遊んでいる猿や、小石をコンクリートの地面に押しつけて、雑巾《ぞうきん》掛けでもするように歩き回りながら、その音を楽しんでいるらしい猿もいる。

「猿のふりしてる人間みたい」

「だねえ。雷にでも打たれたら、本物の人間になっちゃうかも」

「雷に打たれたら、変身前に感電するの」

「だから感電して、そのショックで変身」

まったく、何を言っているのだと、つい苦笑しながら、それでも子猿たちの仕草は、芭子の目にも可愛《かわい》らしく見えた。小さくて無邪気で、しかも、いかにも身軽そうだ。子猿同士で遊ぶ姿も、大人の猿にじゃれつく格好も、なるほど見ていて飽きないものがある。

「ああいうの、家にもいたらいいなあ」

中でも古タイヤを吊《つる》したブランコで遊んでいる子猿が可愛かった。少し眠たげな顔つきで、大きな丸い目をして、くりくり坊主《ぼうず》の男の子のようだ。

「やっぱり、子どもって可愛いもんだねえ」

綾香はただ黙って猿たちを眺めている。その横顔を見た瞬間、芭子は、この人も母親なのだということを思い出した。

「あ——あの、ごめん」

こちらを向いた綾香の表情は、いつもと同じものだ。特に怒っている様子もなければ、傷ついている風でもない。

「何、急に」

「——思い出させたかと思って」

「何を？　ああ、子どものこと？」

だが、ゆっくり微笑《ほほえ》む綾香の顔は、やはりどこか諦《あきら》めを含んでいるようで淋しげに見えた。「いいよ、べつに」と言われても、どうしたって、普段の綾香とは異なる部分を垣間見《かいまみ》た気にさせられる。

「男の子だったよね——幾つになるの？」

「もうねえ、七つ、かな」

すると、もう小学生ということだ。だが、そこまで成長してきた姿を、彼女はまったく見ていない。赤ん坊の時に手放したからだ。その子の生命《いのち》を守るために。

「ねえ——」

「やめよう、その話」

「——ごめん」

いつも、そうだった。他のことに関してなら、芭子と綾香とは大概、何の気兼ねも隠し事もなく、色々なことを話し合う。少しばかり「痛い」と感じるような、他の人からだったら絶対に触れられたくない話題でも、綾香となら素直に話せる。それでも、こと子どものことに関してだけは別だった。本当は、芭子としては聞いてみたいことが色々とある。会うつもりはないの？　顔を見たくない？　その子は、どうして自分に両親がいないのか、何か知ってると思う？——

やがて綾香は黙って猿山から離れていく。その、丸っこい後ろ姿を追いかけながら、本当は動物園にだって来たくなかったのかも知れないと、その時になって気がついた。ここへ来れば、いかにも幸福そうな家族連れが山のようにいる。嫌でも、平凡で穏やかな生き方をしている人々を見せつけられる。だからこそ、今日のような天気になったことを、芭子だって内心では喜んでいる部分がある。口では文句を言いながら、本当は密《ひそ》かに胸を撫《な》で下ろしていることに、自分でも気づいている。

「それにしても、不思議なとこだよねえ」

奇声を上げている鳥たちを眺め、人工的に作られた夜の闇《やみ》の中で、のそのそと動き回る動物を見て、さらにトラやライオンなどのいる場所まで来た辺りで、しばらく黙り込んでいた綾香がようやく口を開いた。

「ここ、東京のど真ん中だよ」

「――そうだよ」

「そこに、こんな連中がいるわけでしょう？　トラやらライオンやら」

「だって、動物園だもん」

「人間だって、家賃が高くてなかなか住めないっていうのに。第一、ねえ、逃げたら、どうすんだろう。そんで、地下鉄とかに乗ってきたら」

「――変なことばっかり考えるんだねえ、綾さんって」

「まあ、だけど、たとえばこのゴリラなら、自動改札も普通に通っちゃえるかな。こんな顔の人間、よくいるし。私、これとなら友だちになれそうな気がする。さっきの鳥とか、シロクマとか、ああいうのは駄目だけど」

「――動物を、友だちになれるかなれないかで分けるの？」

「そういうわけじゃないけどさ」

真剣な表情でゴリラを見つめ、ガラス越しに「あんたなら、話せば分かるよね」などと呼びかけている綾香は、もういつもの彼女だった。よかった、思ったほど気にしてはいない。この立ち直りの早さが綾香の強みであり、芭子から見ていて一番、羨《うらや》ましいと思う部分でもある。

「ほら、よかったじゃん。薄陽《うすび》が射《さ》してきた」

園内を走るモノレールに乗る頃には、灰色の雲間から淡い陽射しが洩《も》れ始めた。風向きも変わったらしく、夕方に向かおうとする時刻になって、ようやく春らしい暖かさも戻ってきたようだ。

「帰る間際《まぎわ》になって晴れたって」

「傘差して、しょぼしょぼ帰るよりは、ずっといいってば。明日はきっと、いい天気になるよ」

芭子たちが帰る方向に近い池之端《いけのはた》門の傍に、アフリカの動物たちが展示されているコーナーがあった。最後に、そこの動物を見て帰ろうということになって、キリンやカバを見ているうちに、芭子はふいに目眩《めまい》にも似た感覚を覚えた。目の前では、大きなキリンがモシャモシャと草を食べている。実物を間近に見るのは、生まれてから二度目か三度目といったところだ。それなのに、懐《なつ》かしさとも微妙に異なる、変な感じがする。

「そうか——そういうことだったんだ」

少し考えて、ようやく合点がいった。実は、動物園へ来たときから、何だか分からない居心地の悪さを感じていた。その原因が、ようやく分かった。この落ち着かない憂鬱《ゆううつ》さは、別段、天気が原因なのではなかったのだ。

「何が、そういうことだったの」

「——綾さん、何か感じない？　このキリンの、この雰囲気」

「キリンの雰囲気？」

「て、いうより、ここの環境」

綾香は不思議そうな顔で「環境」と首を傾《かし》げるばかりだ。芭子は「ほら」とわずかに苛立《いらだ》った顔をして見せた。

「キリンも、カバも、サイも」

すると綾香は改めて辺りを見回し、しばらくしてから「あーあ！」と大きく口を開けた。

「それでかぁ！ いや、私もね、さっきから何か、知ってるところに来たみたいな、変な感じ、してたんだ。懐かしいっていうかさあ。そうか、この鉄格子《てつごうし》ね！」

そうして綾香はさもおかしそうに「な、る、ほ、ど、ねー」と笑っている。すぐ横を、白人のカップルが物珍しげな表情で通り過ぎていった。さらに女子大生のように見えるグループも。続いて、やたらと若そうな茶髪夫婦がベビーカーを押してやってきた。首からカメラを提げた野暮ったい男もいる。誰もが、キリンの前でげらげらと笑っている綾香を、半ば胡散《うさん》臭そうな、また不思議そうな顔つきで見ていった。

「でもさあ、私らはまだ、よかったよ。同じ鉄格子の暮らしでも、べつに見世物にまでは――」

「また！ 綾さんってば！」

思わず彼女の袖《そで》を強く引いた。

「いつも言ってるじゃない！ 誰が聞いてるか分からないんだからって！」

ごめんごめん、と肩をすくめながら、綾香はまだ笑っている。その、まるで屈託のない笑いを聞きながら、芭子は改めて、鉄格子の向こうの動物たちを見た。

——あのキリンの代わりに自分が入っていたんだったら。

どんな刑罰よりも、厳しく感じたに違いない。人々の好奇の目にさらされて。へえ、あれが犯罪者というものか、意外に普通に見えるもんだね、などと、無神経で残酷な声でも聞かされていたら——たとえ一度でも、そんな目に遭わされていたら、恥ずかしさと屈辱とで、死にたくなっていたかも知れない。いや、きっと死んでいた。

「気分はムショ暮らしか」

ようやく笑いが収まったらしい綾香が、ぽつりと呟《つぶや》いた。そして、困ったような顔でこちらを見る。芭子は、自分も小さなため息をつきながら、目顔で頷《うなず》くことしか出来なかった。こういう感覚は、実際に鉄格子に囲まれた生活を送っていた者でなければ分からないに違いないと思った。

2

綾香との関係を聞かれるとき、芭子はいつでも答えに窮する。たとえばこのところ月に二、三度は行くようになった居酒屋で。芭子の家のはす向かいに住む老夫婦に。

それから綾香が勤めているパン店の主人からも。芭子と綾香とが一緒にいると、必ずといっていいほど、同じことを尋ねられるのだ。ずい分仲が良さそうだけど、どういう関係ですか、と。

確かに、年齢は一回りも違うし、外見も服装の趣味も性格も、まるで似ていない二人を見れば、誰でも何となく不思議に思うのは、無理もない話かも知れなかった。だが、だからといって本当のことだけは、たとえ口が裂けたって言うわけにはいかない。

実は私たち、ムショ仲間なんです、とは。

「さて、雨も上がったことだし、少し遠回りして帰らない?」

動物園を出たところで綾香が言った。このまま不忍《しのばず》通りを進めば、あっという間に帰れる道のりなのに、わざわざ反対方向の、動物園脇《わき》の道を行こうというのだ。

「そうすれば、お腹《なか》も空《す》いて、夕ご飯も美味《おい》しく食べられるし」

「いいけど――綾さんてさあ、何で、そんなに元気なんだろう」

「私の仕事は体力勝負だからね。日頃から、足腰を鍛えておかなきゃなんないでしょ。何しろ、四十過ぎたら、体力なんて落ちる一方なんだから。日頃の心構えってヤツが大切なわけよ」

今、綾香は小さな手作りパンの店で、パン職人への道を歩んでいる。いつかは自分で店を開きたいからと、早朝から出勤して、重たい袋を運んだり、粉を篩《ふる》ったりしているらしい。

「芭子ちゃんだって、こっちの方は歩いたことないでしょう？　行こう、行こう」

実は、刑務所に収監されている受刑者たちは、たとえどれほど親しくなっても、出所後の行き先や自宅の住所などについては、決して教え合ってはいけないと厳しく言われている。檻《おり》の中にいるからこそ、皆それぞれ殊勝な顔をしているが、元をただせば犯罪者の寄せ集めだ。口では「もうしません」「生まれ変わります」などと言うし、その時は本気で思ってもいるのだが、持って生まれた性格は、そう簡単に変わるものではない。ひとたび娑婆《しゃば》に出て自由の身になってしまえば、受けてきた刑のことなど綺《き》麗《れい》さっぱり忘れ去り、再び悪い虫が騒ぎ出す者が少なくないというのだ。

そうなると、刑務所内では無二の親友だったつもりの相手が、天敵に早変わりする可能性が出てくる。お互いスネに傷を持つ身であることを逆手に取って、やれ金を貸してくれとか、一晩だけ泊めてくれ、仕事を世話してくれないかなどと頼ってきて、新しい生活の邪魔をする場合も珍しくないというのだ。それどころか、一方がまだ刑務所にいる間に、勝手に留守宅を訪ねていって、嘘《うそ》の言づてなどを餌《えさ》にして、家族に迷惑をかけたりすることも珍しくはないらしい。あるいは再会した途端に妙な誘惑をしてきて、結局は共に新たな犯罪へ向かうこともあるという。要するに、二度と会わない、関わらないことこそが、そこで出会った者同士の、もっとも幸福な選択なのだと、耳にタコが出来るくらいに言われ続けた。

「へえ、森鷗外《もりおうがい》って、こんなとこに住んでたんだって。あの人、動物園が好きだったのかねえ」

「何だか、この道、狭いくせに車が多くない？」

「気をつけて歩きなさいよ。端っこに寄ってね」

「子ども扱いしないでよ」

だがたとえ、そういう指導を受けていなくても、芭子にとって刑務所で出会った人々は、いずれも、とてもではないが関わり合いになりたくないタイプがほとんどだった。言葉遣い。人を見る目つき。些細《ささい》な仕草に至るまで、すべてが、それまで芭子を取り巻いていた世界のものとは違っていた。その上、誰もが粗暴だったり下品だったり、いかにも腹黒そうだったり、あまりにもだらしなかったりした。感情の起伏が激しい上に、それをあからさまに人にぶつける者がいると思えば、やたらと投げやりな雰囲気の者がいた。話題のあけすけなことについていかれなかった。芭子自身は、特に贅沢《ぜいたく》な環境で育ったつもりはなかったが、それでも、あまりにも違う世界があることを思い知らされた。そのことは相手の方でも感じたらしい。

「気取りやがって。あんた、何様のつもりなんだよ」

「どこのお嬢さんか知んないけどさ、こっちだって人間なんだ。そのウンコでも見るような目つきをやめなよ」

「世間知らずの、親のスネかじりが、生意気にホストに入れ揚げたんだって？　馬《ば》っ鹿《か》だねえ、あんたみたいなのが一番、カモにしやすいっていうのに」

ことに収監されて間もない頃は、何かというと言いがかりをつけられて、よくいじめられた。そのこと自体も辛《つら》かったが、そんな人々と同じ空間で過ごさなければならないところまで来てしまった、自分も同類になってしまったのだという現実が、常に芭子の気持ちを押しつぶした。だから、自分について語ったり、ましてや自宅の住所を教えることなど、頼まれても出来るはずがなかった。第一、これ以上、両親や弟に迷惑がかかっては、縁を切られただけでは済まなくなる。

「ほら、芭子ちゃん！　ぼんやりしない！」

暗闇坂の急なカーブに差し掛かったときだった。はっと見ると、坂を下りてくる車が、芭子に突っ込みそうな勢いで走ってきて、ギリギリのところで曲がっていった。

「もうっ。だから、こんな道、嫌だって言ったのに」

「はいはい。文句言ってる間に、さ、歩く歩く」

ようやく坂道を上りきり、高校の前あたりまで来たところで、綾香は「汗が出てきた」と笑いながら立ち止まった。いつの間にか雲もほとんど消えていて、太陽は、もう西の空に傾いていた。

「さすが、上野のお山っていうだけのこと、あるわ。へえ、この辺って、結構な高台なんだね」

キティちゃんの絵が入ったタオルハンカチで額の汗を拭《ぬぐ》いながら、綾香は辺りを見回している。人のことを子ども扱いする割に、彼女はこういうキャラクターものが大好きだ。

「上野のお山って？」

「時代劇とか見てると、そういう台詞《せりふ》が出てくるんだよ、よく」

一年三百六十五日、寝食も、日中の作業も運動も、入浴も何もかもを一緒に過ごしていれば、最初は別世界の存在に思えた相手にだって、多少なりとも情が湧《わ》いてこない方がおかしいというものだ。その上、運動会などのときにはチームワークを要求されたりもする。なのに、最終的には誰のことも信じずに、その場限りの関係と割り切ることを常に自分に言い聞かせなければならない日々というのも、考えてみれば厳しい話だった。かといって、普通に話せる相手もいない。そんな孤独を噛《か》みしめていた頃、この綾香が芭子と同じ舎房に入ってきた。

「——上野のお山、かあ——私は、そういうことも知らないんだね」

「またぁ。そんなことで落ち込まないの。『銭形平次』とか『遠山の金さん』とか、そういうの、見なかっただけでしょうが」

「——うちは、ママが厳しかったから」

「だから、しょうがなかったんだよ。気にすることないって」

何がきっかけだったかは覚えていない。とにかく、癖のある受刑者から目をつけられて、毎日のように喧嘩《けんか》を売られたり、突っかかられたりしていた芭子を、綾香は庇《かば》ってくれた。芭子も自然に綾香を頼りにした。やがて、食べ物の好き嫌いの話から始まって、幼い頃の思い出や、よく読んだ雑誌や、好きだったテレビ番組の話などをするようになり、そうして、互いの犯した罪のことについても少しずつ話すようになった。芭子は昏酔《こんすい》強盗罪。綾香は殺人罪——ごく普通の主婦だった綾香の人生を聞かされたときの衝撃は、今も芭子の心に残っている。

——でもね、私、誓ったんだ。やったことは無駄にしない。絶対。私は私の人生を生き直すって。私の子どもにも、せっかく授かった生命《いのち》なんだから、強く育ってくれることを祈るしかないって。

目の前にいる彼女が、その手で自分の夫の生命を奪ったと知ったときには、あまりのことに一瞬、目を合わせることさえ出来なくなりそうな恐怖を覚えたものだ。だが、刑務所に入ってきた頃の、疲れ切り、消耗しきって、ボロ雑巾《ぞうきん》のように見えた綾香のことを思うと、家庭内暴力を振るう夫に十年も耐えてきたという彼女が、いかに苦しんでいたかが容易に想像できた。

綾香といると、芭子も元気になる。安心する。もしかすると、家族と過ごしていた頃よりも、ずっと。だからいつの間にか、お互いに出所後の夢についても語り合うようになった。メモなどの証拠を残さないように、大切な情報はすべて暗記した。

「今日は結構、カロリー消費したと思わない?」

「じゃあ、天ぷらとか、食べちゃう? トンカツでもいいし。ああ、メンチ。コロッケもいいかなあ」

「そんなに? せっかく使ったカロリー、すぐ取り戻しちゃうじゃない」

茜色《あかねいろ》に染まり始めた町を歩き、ようやく見覚えのある界隈《かいわい》まで戻ってきて、坂道を下りていたときだった。突然、パトカーのサイレンが響いてきた。耳を澄ませるまでもなく、どんどん大きくなって、やがて坂道の下に、二台のパトカーが見えた。芭子は、思わず足がすくむのを感じた。まるで、自分たちに向かって走ってくるような感覚に襲われたからだ。

「来た、来た！」

ふいに、背後で声がした。振り返ると、たった今、通り過ぎたばかりのお寺の門から飛び出してきたらしい作務衣《さむえ》姿の人が、いかにも慌《あわ》てた様子で手を振っている。芭子はただ呆然《ぼうぜん》と、自分たちのすぐ前に停《と》まるパトカーと、「お巡《まわ》りさん！」と駆け寄る人を見つめていた。

「やられた！　やられちゃったよ！　ご本尊を！」

坊主頭《ぼうずあたま》の男性は、すっかり泡を食った様子で、震える声を張り上げている。パトカーから降りてきた制服姿の警察官たちも、「落ち着いて」と言いながら、十分に慌てた様子に見えた。

「――やられたって。ご本尊を」

彼らがバタバタと走り去るのを見送り、芭子はぼんやりと呟いた。

「て、ことは、泥棒？」

綾香も、きょとんとした顔をしている。パトランプの赤い明滅が、夕焼け色だった景色をさらに赤く染めていた。騒ぎを聞きつけて、早くも近所の人たちが集まり始めている。ただでさえ寺院が多い界隈だけあって、中には、お坊さんも混ざっていた。

「またかね」

「続きますねえ」

「嫌だなあ、物騒だなあ」

何人かずつで小さな集団を作っている野次馬たちの会話が聞こえてくる。芭子たちは、静かにその場から離れることにした。見ていたって、どうということもない。第一、パトカーの傍に立っているだけで、どうにも気分が落ち着かなくなる。

「私、あの音、嫌い」

「私も」

「心臓がばくばくして、汗が出てくる」

「分かる。その気持ち」

谷中《やなか》ぎんざで手早く買い物を済ませて、二人揃《そろ》って芭子の家に帰り着き、古い茶の間に疲れた足を投げ出すと、とりあえずはビールもどきの発泡酒で乾杯をした。まあ、概して楽しい休日だった。そういうことにしておこう。

「それにしても、ここんとこ多いねえ」

「何だって、お寺ばっかり狙《ねら》うんだろう」

「そりゃあ、お賽銭《さいせん》だってあるし、あとはそれこそ仏像とか、マニア受けしそうなものが多いと思うからじゃない？」

サラダや和《あ》え物、コロッケ、鶏の唐揚げなど、皿に移しただけの惣菜《そうざい》をつまみながら、自然に、このところ谷中界隈で頻発しているという泥棒被害の話になった。

「マニア受けって言ったって、そんなもの、どうやって売るのよ」

「ネットじゃないかって。テレビで言ってた」

「ネットって？　ああ、インターネット。そんなところで、売れるの？」

「らしいよ。オークションとか、そういう場所で売れるんだって」

「オークションって？」

「知らない。普通だったら、競売のことだと思うけど。インターネットにも、そういう場所があるらしいんだよね」

「そこだと盗品までさばけるってこと？　だったら、ちょっと、ネットって泥棒天国じゃないのよ。顔も見られずに済むわけでしょう？」

綾香は箸《はし》の先を口にくわえたまま、少し考える顔になって天井を見上げていたが、やがて「こりゃあ、大変だわ」と呟《つぶや》いた。

「私らもインターネットくらい出来ないと、本当に置いていかれるってことか。下手すりゃ、その辺の泥棒以下ってことに、なっちゃうわけだ」

「泥棒以下か――そういえば、ねえ、あいつ、どうしてるだろう」

「あいつ？」

「ほら、ミモザの――」

「ヨネ子！」

綾香が、箸を立てるようにして、その名前を口にした瞬間、芭子はもう笑ってしまっていた。

「あの、大嘘《おおうそ》つき！」

「マヌケのヨネ子！」

要するにかつてのムショ仲間だ。プロの泥棒で、その美貌《びぼう》を武器にして数多くの男を悩殺し、ちょっとした強盗団の女ボスとして、その筋では知らないものはいないと豪語していた。中でも、満開のミモザの花の下で、元アイドルという男からプロポーズされたときに、「君は、このミモザの花のようだ」と言われたことから、以来「ミモザ」と呼ばれるようになったのだと、さんざん威張り散らしていたのだが、ある時、偶然に彼女を知っている売春婦が暴行傷害罪で入ってきて、何もかもが嘘だったとバレた。「ミモザ」は、実際には「ヨネ子」という名の、単なる置き引き常習犯だというのだ。

何をするにも愚鈍だし、見え透いた嘘ばかりつくし、第一、自分で言うほどの美貌の持ち主でもないと思いながら、ミモザの話につき合わされて年月を過ごしてきた同房の受刑者たちは、ここぞとばかりヨネ子を罵倒《ばとう》し、一斉に嘲笑《あざわら》った。するとヨネ子は激怒して、入ってきたばかりの女に飛びかかっていった。そうして派手な取っ組み合いの末、結局、ヨネ子はあれほど自慢にしていた顔に大けがを負った。相手の女が、頬《ほお》から顎《あご》にかけたあたりに、思い切り嚙みついたからだ。「ギャアッ」というヨネ子の叫び声が上がった瞬間、辺りには血しぶきが飛び散って、舎房の片隅に避難していた芭子たちも、思わず悲鳴を上げたものだ。

「あの傷、残ってるかな」

「残ってるでしょ。えぐれてたもん」

「馬鹿な女。いい気になって、嘘ばっかりついてるから」

今となれば、ずい分と奇妙な人たちを見たものだと笑い話にも出来る。だが、それも最近になってからのことだ。出所してそろそろ一年になるというのに、芭子は今でも刑務所の夢を見ることが少なくない。夢の中で「まだここにいるのか」と思い、「また来てしまった」とも思って、沼の底に引きずり込まれるような絶望感を味わうことがある。そして、目が覚めたときには枕《まくら》が濡《ぬ》れていたりするのだ。そんな日は我ながら惨《みじ》めで、一日中気分が沈んだままになる。

「さて、明日からまた、頑張るとするか」

夕食が済むと、発泡酒のせいで顔をわずかに染め、眠たそうな表情になり始めていた綾香は、早々に帰って行った。彼女は毎朝、五時には出勤している。だから、夜更《よふ》かしは大敵なのだ。

少し離れたアパートに住んでいる綾香を送り出してしまうと、茶の間にかけられた古い柱時計の音だけが、急に大きくなった。芭子はテレビのスイッチを入れ、それからまだしばらくの間、一人で紙パック入りのワインを飲んで過ごした。

3

翌朝、いつもの通りに自転車でアルバイト先の「オレンジ治療院」に出勤すると、珍しいことに院長がいた。ここは機械任せのマッサージ治療院だから、普段なら院長は週に二、三度しか顔を出さない。しかも始業時間から来ているなんて珍しいこともあると思っていると、今枝《いまえだ》院長は、さらに珍しく笑顔になって「ちょっと」と芭子を手招きした。

「昨日、ここの電気容量を増やす工事が入ったんだけど、ついでに光ファイバーを通す工事もしたから」

「電気容量ですか？　あの、光――？」

「新しい低周波治療器と、ゲルマニウム温浴機ね、あれも置こうと思ってるんでね。で、どうせだから、これを置くことにしたわけです」

院長が指さす方を見ると、いつも芭子が座っている小さな受付カウンターの内側に、ノート型のパソコンが置かれていた。芭子は目を丸くして、何かの文字や図柄が出ている液晶の画面に見入った。

「これで常時接続が出来るようになったから。小森谷さんも、いいですよ。インターネット利用して」

「あの――でも、私――」

「プロバイダとは契約済みだから。ああ、でも、有料サイトには気をつけてもらわないとね。ある程度は大目に見るけど。毎月、明細書が送られてきた段階でチェックするからね」

それから今枝院長は「顧客管理ソフト」というものをパソコンの画面上に呼び出し

て、これまでは手書きで処理していたカルテについて、今度からはすべて、こちらにデータ入力をしていくようにと言った。

「これまでも少しずつ整理しなきゃとは思ってきたんだけど、実際はたまったままになってるカルテもあるんでね。今度こそ完璧《かんぺき》に切り替えるつもりでいるから、小森谷さんは暇な時間を使って、ここに、たまってるカルテのデータを、端からどんどん入力していってよ」

「データを、入力――」

「住所・氏名・電話番号・生年月日、それから初回の治療日とか、フォーマットは出来てるんだけど、診療項目でも主訴でも、必要と思う項目は簡単に設定できるから、こっちのカルテをもとにして、設定していってくれればいいだけだから」

緊張で顔が真っ赤になるのを感じた。頭の中で「どうしよう」という言葉ばかりが渦巻いている。もう泣き出しそうな気分だ。何しろ今日の今日まで、パソコンなど、まともに触ったことさえない。大学時代に、少しくらいは使えるようになっておこうかと考えたことはあったけれど、結局、講習を受けたこともなかった。あの頃は、まさか十年もたたないうちに、こんなにも当たり前にパソコンが普及して、しかもインターネットまでが利用される時代になるとは思っていなかった。

「これで予約の管理もしやすくなるし、本人の癖とか、要望とか、メモすべきことは、備考欄でも設けて書き込んでくれれば——どうしたの」

ほとんど一方的に喋《しゃべ》っていた院長が、ようやく怪訝《けげん》そうな表情になった。芭子は、目の奥に軽い痛みさえ覚えながら、口ごもるようにして、「使い方が」と呟いた。

「あの——よく、分からなくて」

すると今枝は特に驚いた様子も見せずに、マニュアルがあるから心配いらないと言った。マニュアルそのものも、パソコンの中に入っているというのだ。

「最初は分かりにくいかも知れないけど、意外によく出来たソフトでね、使いやすいし、こんなもの、すぐに慣れますよ」

目の奥が熱くなりかかっている。駄目だ、もう涙が滲《にじ》んできそうだった。

「でも——あの——私、パソコンって苦手で」

「苦手？　どの程度？」

「まるで。そのぉ——触ったことも、ないんです」

「触ったことも？　まるっきり？　本当に？」

「——すみません」

「だったら、まあ、覚えてもらうしか、しょうがないよな。この機会にね。じゃあ、ええと、まずは——」

今枝は、わずかに驚いたような顔をしていたが、すぐに芭子をカウンターの前に座らせて、基本の操作をさらさらと語った。このパソコンには、初心者が学ぶためのソフトまで入っているのだという。そのソフトを立ち上げて、向こうが指示してくる通りにキーを叩《たた》いたり、マウスを動かしていれば、自然にパソコンの操作を覚えていくように出来ているのだそうだ。

「あの、立ち上げるって」

「起動させること。パソコン本体でも、組み込まれてるソフトでも」

「あ——はい。じゃあ、あの、マウスは」

今枝院長は、さらに呆《あき》れた表情で、ふう、と一つため息をつき、それでもパソコンの各部位の名称と、スイッチの入れ方、切り方を「基本中の基本だから」と説明し始めた。芭子は、とにかくひと言も聞き漏らさないように、必死でパソコンを睨《にら》みつけていた。

「乱暴に扱わなければ、そう簡単に壊れるもんでもないから。怖がらないで、どんどん触ることだな」

そう言われても怖かった。芭子は、ほとんど震えそうな指先で、それでも何とか、言われた通りにパソコンに触れてみた。教えられたスペースを指先で撫《な》でると、画面上の小さな矢印が、芭子の指の動きに応じて移動する。まるで魔法のようだ。

「――すごい」

つい、呟いてしまった。すると、横に立っていた今枝が笑い声を上げた。

「本当におかしな子だな。小森谷さんは、時々、浦島太郎みたいなところがある」

「――そうでしょうか」

「メールも、やらないの？」

「――やりません」

「携帯でも？」

「――好きじゃなくて」

「――まあ、個人の自由だから、いいんだけどね。これは仕事だと思って、割り切ってよ。それに今どき、これが使えて損をするっていうことはないから。パソコンが使えるのと使えないのとじゃあ、これから先も、探せる仕事の幅が違うはずだよ。給料も――ああ、ほら、時間だ」

急《せ》かされて、慌《あわ》てて治療院の開院準備をして、「営業中」の看板を外に出し、院長が「あとはよろしく」と立ち去ってしまうと、芭子は改めてパソコンの画面を眺めた。

それにしても、何て綺麗《きれい》で、色鮮やかな画面だろう。芭子の弟もパソコンをいじっていた。だが、あの当時、たまに弟の勉強部屋を覗《のぞ》くと、弟が向かっていたパソコンの画面は時として真っ黒で、弟は、その画面に向かって、意味の分からない英語の記号などを打ち込んでいたような気がする。そんなときの弟は、まるで宇宙人のように見えたものだ。

改めて考えてみると、弟ももう二十六になっている。今ごろは、立派な社会人になっているか、さもなければ大学院にでも進んで、何かの研究に没頭しているかも知れない。母たちがそれを望んでいたし、弟自身も、そういう両親の期待に、何の抵抗も示したことはなかった。幼い頃から、そういう子だった。希望に応《こた》えたくても、どうしてももう一つ、両親を満足させられなかった芭子とは違って。

パソコンの美しい画面を見つめながら、芭子はつい小さくため息をついた。べつに仲の悪い姉弟だったつもりはない。だが、芭子が逮捕されて以来、今日に至るまで、弟からは手紙の一本も届いたことはなかった。宇宙人のように見えていた弟は、今となっては本当に、芭子とは別世界の人間になってしまったのかも知れなかった。そして、姉の存在など、とうの昔に忘れ去ったのに違いない。

いけない。また昔のことを考えそうになっていた。慌てて気分を切り替え、それからしばらくの間、芭子は夢中になってパソコンに向かった。院長から教わった通り、そろそろと指先を動かして画面上の矢印を動かし、「はじめてのパソコン」というコーナーを探し出す。思ったところに矢印を持って行くと、矢印が小さな手のマークに変わるのが、面白い。ほんの少しの指先の動きで画面が変わる。まるで魔法だった。ドキドキする。

どのくらい時間が過ぎたか、ふいにドアが開いたことを知らせる電子音が店内に鳴り響いた。ああ、いいところなのにと、つい苛立《いらだ》ちそうになりながら顔を上げて、芭子は、その場で凍りついた。制服姿の警察官が、こちらを見ていたのだ。

「あ、あの——いらっしゃい——ませ」

言ってから、おずおずと立ち上がる。頭の中では、落ち着け、落ち着けと繰り返していた。疚《やま》しいことなんか、何もしていないんだから。何も、怖がることなんか、ないんだから。

「お忙しいところ、すみません。警察のものですが」

警察官は軽く敬礼をしている。その格好で「警察のものですが」とは、何なのだろうか。それくらい、見れば分かるのに。

「ええと、こちらの方、ですか」

「――そうですが」

「オーナーさんですか」

「アルバイト、です」

「じゃあ、あの、社長さん、いや、ご主人っていうか、ええと、経営者の方は」

「院長に、何かご用ですか」

すると、その警察官は何かびっくりしたように「そうか」と口を大きく開いた。

「院長か。そうか、そうですよね」

頭の後ろに手をやって、警察官は「そうだよな」と繰り返し呟《つぶや》いている。

「院長は、留守にしております。院長にご用でしたら――」

「あ、違うんです。違うんです。じゃあ、ここにいつもいるのは」

「私です」

すると警察官は、にっこり笑って「そうなんですか」と頷《うなず》いた。芭子は、何かひどく意外なものを見せつけられた気分になって、改めて帽子の下の顔を見てしまった。まさか、制服の警察官が笑うことがあるなどとは、思ったこともなかったからだ。

「実は昨日、この先の、お寺さんに泥棒が入ったんです」

「三崎《さんさき》坂の？」

「あれ、知ってます?」

「昨日ちょうど、あの前を通りかかりましたから」

　別段、隠し立てをするようなことでもないと思ったから、さらりと答えた。すると、その瞬間、警察官はがばっと飛びつくように、受付カウンターに身を乗り出してきた。咄嗟《とっさ》のことに、芭子は思わず小さく悲鳴さえ上げそうになってしまった。

「それ、何時頃ですっ。その時、誰か見ませんでしたかっ。気になるっていうか、挙動不審っていうか、見かけない雰囲気っていうか」

「いえ、あの、ちょうどパトカーがやってきたときに、あそこの近くにいたっていうだけですから――」

「どうして、そんなところにいたんです?　どっちの方向から来たんですか。徒歩?　自転車?　一人だったんですかっ」

　また身動きが出来なくなった。心臓だけがドキドキしている。なぜ、こんな矢継ぎ早の質問を受けなければならないのだろうか。一体、芭子が何をしたというのだ。こうなったら、綾香を呼ぶしかないだろうか。電話をして。助けてと言って――助けて?　お巡《まわ》りさんが来たとでも?　まさか。こんな程度のことで、綾香を呼ぶわけにいかない。

「――お友だちと動物園に行った帰りで、坂道を下っていたら、パトカーが来たっていう、それだけです。特に、誰か見たとか、そういうことはないと思います。いえ、見たかも知れませんが――覚えていません」

最後の方では声が震えてしまった。すると、警察官は再びはっとした表情になって

「いけねえ」と呟いた。

「すんません。つい興奮しちゃって。あの、驚かせましたよね」

それから慌てたように姿勢を正し、もう一度「すんません」と、ひょこりと頭を下げる。どうも妙な警察官だ。笑ったり、興奮したり、その上、会釈《えしやく》をするなんて。この――この、前科《マエ》のある芭子なんかに。

「ええと、自分――私は最近、ここの、根岸警察署に勤務になった者なんですが、来て早々、寺泥棒が続いてて、ですね、それで、まあ、何とか手がかりだけでも摑《つか》めたらと思って――ちょっと焦《あせ》ったっていうか、慌ててたかな」

わずかに顔を歪《ゆが》め、ぶつぶつと呟くように言って、それから警察官は改めてこちらを見た。意外と若いかも知れない。

「私、高木《たかぎ》、といいます」

「――高木、さん」

「はいっ。高木聖大《せいだい》といいます。お忙しいところ、失礼しましたっ」

警察官はもう一度敬礼をして、最後にまた、にんまりと笑った。芭子は、反射的に背筋がぞっとするのを感じた。

――何で笑うの。何で、自分の名前なんか言うんだろう。

変な警察官だ。気持ちの悪い。

患者がいるときに、こんなに慌てたところを見られずに済んだのが、せめてもの救いだった。ここへ勤めるようになって、芭子はいくつもの新たな発見をした。そのうちの一つは、噂話《うわさばなし》の大好きな、しかも時間だけはあり余るほど持っている高齢者たちの中には、とにかく他人のことに対する興味が尽きず、しかも、なかなか鋭い勘や嗅《きゆう》覚《かく》を働かせる人がいるということだ。

「あの時だわね、ピンと来たのは」

「どうも、前々から何かヘンだと思ってたわけよ」

「これは私の勘なんだけどさ」

彼らは、時として驚くほど見事な推理力を発揮する場合もあれば、往々にして、ほんの小さなきっかけから導き出す曖昧《あいまい》な憶測からだけでも、呆れるばかりの筋立てを導き出し、根も葉もない噂話を作り上げることもある。そんな人が、もしも芭子が警察官に驚いて、ひどく緊張したところなど見ていたら、どんな推理を始めるか分かったものではなかった。中にはまったくの当て推量でも、芭子の過去に近いことを言い当てる人が出てこないとも限らない。それこそが、芭子がもっとも恐れていることだった。

その日、仕事の帰りに書店を何軒か回って、芭子は、出来るだけ分かりやすそうなパソコンの入門書を買って帰ることにした。書店自体、それほど頻繁には行かないし、その上、ビジネス書やコンピューター関係の本ともなれば、これまで書棚を眺めたことさえなかったのに、いざ探してみると、その数と種類の多さに驚かされた。時代は明らかに変わっているのだと、しみじみと感じた。

「本当？　じゃあ、芭子ちゃん、パソコンいじれるようになるんだ！」

帰ってから綾香に電話をすると、受話器の向こうから興奮した声が返ってきた。

「でも、何だか難しそうなんだ。知らない言葉とかカタカナ語とか、やたらと出てくるし、もともと私、文科系だし」

「何、言ってんのよ。ちょっと乗り遅れてるだけだって。近ごろは小学生だっていじってるっていうじゃない。ねえねえ、使えるようになったら、私にも教えてよね。そのうち中古でも、一番安いのでも、きっと買うから」

そういえば、綾香だって将来、自分の店を開いたときには、帳簿の整理などでパソコンが必要になるに違いなかった。綾香の役にも立つかも知れないと思うと、気持ちが少し前向きになってきた。祖母の遺《のこ》した古い柱時計の音を聞きながら、その晩、芭子はかなり遅くまで、買ってきた入門書を読んで過ごした。

4

毎日が、少しだけ変わった。ずっと長い間、持て余してきた感のある虚《うつ》ろな気分を、わずかでも忘れることが出来るようになった気がするのだ。

これまでも、芭子なりに努力はしてきたつもりだった。ことに寒い間は、百円ショップで毛糸を買い込み、自分のマフラーと綾香のマフラーとを編んだりもした。最初は太い毛糸で編んだのだが、あまりに早く出来上がってしまうことに気づいてからは、細い毛糸に替えて、複雑な編み込み模様なども入れ、じっくり時間をかけて編み上げた。意外に繊細で上品な出来映えになって、暖かくなるまでの間、自分も重宝したし、綾香も大喜びして、ずっと使ってくれていた。

だが、春になってしまったら、何をすればいいのか分からなくなった。またもや憂《ゆう》鬱《うつ》で虚ろな気分が心を支配し始めた。すると、どうしてこんな人生を歩むことになってしまったのかと、これまで何百回、何千回も繰り返し考えてきた思いが否応《いやおう》なしに頭をもたげてくる。それを完全に振り払っていられるのは、綾香と会っているときくらいのものだった。

それが、パソコンのお蔭《かげ》で、生活に少し張りが出来たらしい。何となく、一日が早く過ぎる気がするのだ。朝、出勤すると、芭子は一番にパソコンを立ち上げる。顧客管理ソフトの『スーパーカルテ・お大事に』を呼び出して、まず今日の予約確認を行えるようになるまで、大して日数はかからなかった。

「また、入られたって」

「今度は、どこだって？」

「ほら、あの――」

治療院に通ってくる患者たちの雑談も、時としてほとんど耳に入らないこともあるくらいだった。特にこのところは、寺泥棒の話題ばかりで、目新しい話もない。どこそこの寺には、隠し宝物殿があったそうだ。あそこの寺の本尊は、実は最初から模造品だったらしい。本堂に隠していた住職の妻の宝石が、何千万円分も盗まれたらしい、などと、次から次へと噂が飛ぶ。

「お寺さんだけ狙《ねら》われてるんなら、うちらは呑気《のんき》にしてられるってもんだわよ」

「そりゃあ、泥棒だって選ぶわよ。うちなんか狙ったって、あんた、玄関を入ったら、すぐ勝手口みたいな家だもん」

目の前で笑い転げている患者のカルテを探し出しては、そのデータからパソコンに入力していく。ことに初診時の主訴の部分に「人と話すのが億劫《おっくう》」「ストレス」などと書かれていると、密《ひそ》かに笑いを噛《か》み殺さなければならないこともあった。

日に日に日暮れが遅くなる季節だった。こんな東京の真ん中にいても、吹く風は微《かす》かに緑の匂《にお》いを含んで、胸の奥をざわめかせる。切ない思い出が、しゃぼん玉のようにふわりと浮かび上がってきそうな気分になる。

その日も、そんな風に吹かれながら、芭子は日暮れ前には治療院を後にした。途中で夕食の買い物をし、次第に夕暮れの色が濃くなる頃に家まで帰り着くと、自宅前の路地に数人の人影が見えた。それを見た瞬間、芭子は咄嗟に自転車のブレーキを握りしめてしまった。キキッという嫌な音が路地に響いた。

「あら、芭子ちゃん。お帰り」

人影の中の一番小さな一つが動いた。芭子は慌《あわ》てて自転車から降りて、仕方なく、のろのろと歩き始めた。声の主は間違いなく、はす向かいに住む大石のお婆《ばあ》ちゃんだ。

「今日も、ご苦労さんだったね」

お婆ちゃんは、顔をくしゃりとさせる笑顔でこちらを見ている。芭子は出来るだけ普段と変わらないように小さく会釈をして、そのまま通り過ぎようとした。そのとき「ああ、そうだ」とべつの声がした。芭子と綾香とが密かに「ボタン」と名づけている大石のお婆ちゃんの亭主だ。

「あんたにも、ちょっと、意見を聞きたいんだがな」

「え――意見、ですか？　あの、何の」

悪い人ではないらしいのだが、この老人は、とにかく近所でも評判なくらい気が短い。何かの拍子に、すぐに体内のどこかに仕込まれているらしい「怒りボタン」のスイッチが入る。そうなると、長年連れ添ったお婆ちゃんにでも、赤の他人にでも、辺り構わず怒鳴り始める。芭子自身、その現場を何度も見ているから、ことにこの老人に対しては、どこで顔を合わせても、細心の注意を払うことにしていた。

ああ、だけど。

よりによって、こんなところで呼び止めなくたって。

ほとんど絶望的な気分で、だが、変に思われるのも嫌だから、芭子は仕方なく老人たちの方を向いた。夕暮れの薄闇《うすやみ》の中でも、そのシルエットだけで十分に正体が判明していた、三人目の人物の視線が、ぴりぴりと感じられた。

「こちらは？　ご近所の方ですか」

「この子はね、うちのお向かいの、ほら、そこの家のお嬢さん。ねえ？」

「ああ、そうですか。実は今、この辺りの防犯対策のことでご意見を聞かせてもらっていたんです。ご存じの通り、最近、谷中の辺りでお寺さんが被害に遭う侵入盗事件が連続的に発生してるもんですから――」

何だ、またその話かと思った。ついほっと胸を撫《な》で下ろしてしまう。芭子は相手の顔を見ないまま、ただ適当に相づちを打っていた。すると、男が「あれ？」とわずかに口調を変えた。

「確か、不忍通り沿いにある、マッサージの治療院の――」

どうして、そんなことまで知られているのだろうかと、絶望的な苛立《いらだ》ちがこみ上げてきた。やめてよ、変なことを嗅《か》ぎつけないでと言ってやりたいくらいだ。芭子は仕方なく視線を上げた。すると、シルエットだけでも警察官と分かった相手が、帽子の下から、にんまりと笑いながらこちらを見ている。

「僕です。高木です」

「あ――はあ」

「何だ、ここが自宅なんですか。すげえ、近いんじゃないスか」

そう言われてみれば、見覚えのある顔のような気もしてきた。だが、制服の警察官なんて、ほとんど皆、同じに見える。目の前にいる警察官が、あの時と同一人物だったかどうかまでは、はっきりとは分からなかった。だが、そういえば声には聞き覚えがある。それに、この、妙になれなれしい笑顔も。芭子はただ、曖昧な気分で「はあ」と頷《うなず》いただけだった。

「あら、芭子ちゃん、このお巡《まわ》りさんと知り合いだったの？」

「いえ――そんなんじゃなくて」

「知り合いです、知り合いです。前に、この人の勤務先に行って、ちゃんと自分も自己紹介してあるんスから。ああ、私ね、高木聖大っていうんスけど」

すると大石夫妻は、わずかに驚いた表情で、二人揃《そろ》って大きく頷いた。

「いえ、そんな、知り合いなんていうんじゃなくて――」

芭子は慌てて、警察官の言葉を否定しようとした。だが、ことにボタン老人の方が、ひどく納得した表情になって腕組みをしたまま、うん、うん、と頷いているのを見て、つい口をつぐんだ。少しでも逆らったことを言って、ボタンを押したら大変だと思ったからだ。

「若い女性の一人暮らしなんだ。こういう知り合いがいるっていうことは、それだけでも一応は、心強いというもんだろう」

「本当、何かあったら、言ってくださいよ。俺、すぐに飛んできますから」

「あら、そりゃあ、いいわ。あんた、何よりの用心棒だわよ。ねえ」

どうしたらいいか分からなかった。曖昧に頷くのが精一杯で、誰をまともに見ていたらいいかも分からず、芭子は密かにため息をついた。

「で、どうしてハコなんスか。ボックスってことですか。何の箱なんスかね」

一瞬、何を言われているのか分からなかった。すると大石老人が、「何を言ってるんだよ」と珍しく声を出して笑った。

「名前だ、名前。この人の。君らみたいな職業は、箱と聞けば即座にブタ箱だのトラ箱だのを連想するだろうが」

一瞬、ひやりとなった。徐々に濃くなる夕闇に包まれていなかったら、実際に芭子の顔が強張《こわば》る瞬間が、誰の目にも見えたはずだ。頭のてっぺんから汗さえ噴き出しそうになる。

「あ、名前っスか。ハコさん。へえ。可愛《かわい》い名前ですねえ。葉っぱの子？」

「そんなことは、どうでもよろしい。それより、どうなんだ、僕の意見は」

ボタン老人の声が、わずかに怒りを含んで聞こえた。高木が「そうでした、そうでした」と、妙に調子のいい返事をしている。

「いや」、この辺りも近ごろ物騒といえば物騒になってきとるから、こうなったら警察だけに任せてもおけんだろうということで、自警団のようなものを作れないかと、提案したところだ。そういう組織を立ち上げるために、警察はバックアップをしてくれるのか、とね」

「自警団、ですか？」

「自分たちの安全は、自分たちで守ろうということだ。まあ、あんたは女所帯だから、直接は活動に参加できないにしても、そういう提案をしたら、賛成かどうかをな、聞きたいと思ってな」

「あれ、女所帯なんですか」

「さっき、一人暮らしだと言ったろう。君は、注意力散漫なんじゃあ、ないのか？そんなことで、市民の安全を守れるのか」

「すんません。で？一人暮らしなんスか。一軒家に？」

芭子は知らん顔をしていた。今度は大石のお婆ちゃんが「ちょっと、お巡りさん」と相手の袖《そで》を摑《つか》む。

「たとえお巡りさんだってね、あんたみたいな若い男の人が、この子みたいな女性のことを根掘り葉掘り、聞くもんじゃあ、ないのよ。ただでさえ最近は、警察の人だって何やかや、問題を起こすご時世なんだから」

「ち、ちょっと、待ってくださいよ。俺は――私は、そういう心配はいりませんて」

「話をそらすなっ」

「――すんません」

「いいか？　昔と違って、この辺りも正体の分からん輩《やから》がずい分と入り込んできとるという話なんだっ！　しかも、下町とはいえ、人情は廃《すた》れつつある。だから、ここいらで考えなけりゃあ、いかんという話をしてるんじゃあ、ないかっ！」

どうやら怒りボタンが押されたらしかった。突然の剣幕に、高木という警察官は、すっかり驚いた様子で、ひたすら「はい」を繰り返している。いい気味だと思いながら、芭子は必要以上に大きく、何度も頷いてやった。

「そうだ、芭子ちゃん。たらことシラタキのね、炒《いた》め煮を作ったから。持ってきてあげよう」

さすがに、夫の怒りのかわし方を心得ているらしい。大石のお婆ちゃんがぽん、と手を叩《たた》いてぱたぱたと自宅へ戻っていく。芭子も「あら、本当ですか」などと言いながら、急いでその後を追った。とにかく、一刻も早くこの場から逃げ出したい、この、何となく薄気味の悪い警察官から離れたい一心だった。

炒め煮のついでに、瑞々《みずみず》しい色に漬かっているぬか漬けも分けてもらい、玄関まで入り込んで、わざとたっぷり世間話をしてから外に出ると、いつの間にか警察官の姿は消えていて、大石のお爺《じい》ちゃんだけが、軒先に並べた盆栽を眺めていた。

「――色々、分けていただきました。いつも、すみません」

怒りが収まったかどうか分からないから、びくびくしながら出来るだけ丁寧に頭を下げる。すると老人は「構わんさ」と呟《つぶや》いて、そのまま、ただ植木鉢を覗《のぞ》き込んでいるだけだった。

「へえ。そんなお巡りさんも、いるんだ」

次の水曜日、例によって自分の休みの前日に綾香がやってきたとき、芭子は、あの警官の話をした。綾香は自分で買い込んできた発泡酒を飲みながら、「ふうん」と首を傾《かし》げた。

「ずい分、素《す》っ頓狂《とんきょう》な男だね」

「でしょう？　人の名前を『ボックスの箱ですか』とか言っちゃって、気味が悪いくらい、調子がいいの」

「今どきの子、なんだろうね。それに、向こうは何も知らないわけだから」

「そうかも知れないけど。でも、憂鬱《ゆううつ》」

「なんで」

「だって、これで自宅と職場の両方が分かっちゃったわけじゃない？　名前も。あの連中のことだもん、調べようと思えば、何だって調べられるだろうし」

綾香が来ると思ったから、今日は、スーパーで見つけた「さくらご飯の素《もと》」を使って、炊《た》き込みご飯にしてみた。トマトとキュウリをたっぷり入れてサラダも作り、豚肉のショウガ焼きも作った。そこに綾香が買ってきた惣菜《そうざい》も加わったから、一人で食べるときとは比べものにならないくらい、食卓は充実している。

「理由もなしに調べやしないでしょうが」

それらのおかずにまんべんなく箸《はし》を伸ばしながら、綾香はもぐもぐと口を動かしている。

「そうかも知れないけど。でも、何だか嫌なんだもん」

「まあね。気持ちは分かる。それで、自警団の話は？」

それに関しては、その後、何も聞かないところを見ると、話は立ち消えになったのかも知れなかった。

「言い出しっぺがボタンだもん」

「煙たがってる連中は、いい顔はしないってとこかねえ」

何しろ、近所の些細《ささい》なことも見逃さず、ゴミの出し方一つにしても厳しいことを言うボタンは、はっきり言って皆に敬遠されている。芭子のいる治療院にやってきて、いつでも悪口を言い合っている老婦人の集団もいるくらいだ。だから、ボタンの提案ならば、誰も見向きもしない可能性が高いということは、芭子だけでなく、綾香も当初から予測していたようだった。

「だけど、自警団が出来てくれる方が、いいんじゃないかなあ。そうじゃないと、代わりにお巡りさんが、この辺をうろうろすることになるかもよ」

綾香の言葉に、芭子は思わず「そうか」とため息をついた。それは困る。たまらない。無論、頼りになるとは思うし、その方が安全で安心だとも思うのだが、あの制服を見ると、どうしても心穏やかでいられないのだ。ほとんどアレルギーに近い。

「要するに、早く捕まってくれればいいんだよ、寺泥棒が」

最近では、境内に置いてある石の仏像まで、そっくり持って行かれる被害が出たそうだ。重たいものだろうに、どうやったら見つからずに運べるのだろうかと、治療院に来る人たちの間でも、もっぱらの評判になっている。

「期待薄ってとこかもよ。あんなヘラヘラした警察官がいるようじゃ。とても、泥棒なんか捕まえられないんじゃないの？　こっちから聞いてもいないのに、自己紹介なんかしちゃってるようなヤツだもん」

人の名前をボックス呼ばわりした若い警察官の顔を思い出しながら、芭子は、つい吐き捨てるような口調になった。

「まあ、警察官だって人間なんだから、色んな人がいるよ。前科者にも色々いるように、ね」

悪戯《いたずら》を見つかった子どものような顔で、わずかに肩をすくめて呟いた綾香の言葉が、やはり痛かった。そう、分かっている。こちらから向こうを嫌う理由など、何もないのだ。そんな権利もありはしない。向こうから見れば、こちらこそ忌《い》み嫌うべき相手に違いないと考えると、また悲しくなった。

5

谷中周辺の寺院を荒らし回っていた窃盗犯が逮捕されたというニュースが流れたのは、それから二週間ほど過ぎた頃だ。世の中は、そろそろゴールデンウィークの話題などを口にするようになり、天気のいい日には汗ばむくらいになっていた。

「それがさあ、遠くから来てるのかと思ったら、割合、近所だっていうじゃないの。何でも日暮里《にっぽり》の駅の向こうっ側に住んでるとかって」

このところ、芭子はパソコンをいじるのが楽しくて仕方がない。『スーパーカルテ・お大事に』は、ほぼ問題なく使いこなせるようになったし、その他のソフトも、とりあえず立ち上げてモニター画面に呼び出してみては、色々と試してみている。意外だったのは、ゲームソフトまで入っていたことだ。十代の頃に、多少は遊んだこともあったけれど、改めてトランプゲームやピンボールを試してみると、そのリアルなことに驚いた。まるで、そこに本物のトランプやピンボールの台が置かれているような気分にさせてくれる。こうなると、パソコンさえあれば、他には何も必要ではなくなるかも知れない。そういう時代が、やってきているのかも知れないという気にさえなった。

「何でも親と同居でね、親は、何かの商売やってるって話だったけどね」

「いくつだって？」

「三十六。独身」

さすがに、この話題は耳にとまった。何しろ、家では新聞はとっていないし、テレビのニュースでは、そこまで詳しい情報は流れなかった。

「三十六で？　やだわねえ、また、ほら、アレ、何とかいうヤツかね。フリーターじゃなくて」

「ええと、ああ、ミート？」

「ニート、ニート」

「違うのよ。一応ね、本人はアレしてるんだってさ」

「また出た。だから、アレって、何よ」

「コンピューターの、あの、ネットワーク？」

「インターネット」

今日来ているのは、ほとんど常連といっていい、三人組のお婆《ばあ》ちゃんたちだ。杖《つえ》をつかなければ歩けないとか、出かけるのが億劫《おっくう》だとか、来る度に身体《からだ》中の不調を訴えるけれど、よくよく聞いてみると、彼女たちの行動半径は驚くほど広い。日暮里の駅の向こう側の情報まで仕入れているとは、大したものだ。

「そのインターネットの中にね、お店を開いてたんだってさ。盗んだ仏さんやら何やらは、そこで商品として、売ってたらしいのよ」

「どうにも分かんないんだけどねえ。仏像なんて、どうやって売るんだろう」

「私も、だから息子に聞いたの。そうしたらさ、要するに通信販売なんだってさ。テレビとか、カタログのと同じ。つまり、あれでさあ、インドの仏像とか、適当なこといって、売りに出してたってことらしいのよ」

「馬鹿馬鹿《ばかばか》しい。いくら仏様だって、インドのもんと、谷中のもんじゃあ、違うでしょうよ」

「そこいらへんが、だから、通販の怖いとこなんだってば。あんただって前、だまされたって言ってたこと、あったじゃないのよ。テレビショッピングだか何だかで」

「違う、チラシよ。新聞の折り込みの。だって、写真だけ見て注文すんだもんねえ」

「その写真でね、バレたらしいんだけど」

「ねえ、ちょっと、お姉ちゃん。お茶、もう一杯もらえるかしら」

彼女たちの話をぼんやりと聞いていたら、突然、声がかかった。この、「お姉ちゃん」という呼ばれ方には、本当に抵抗があった。だが、文句を言うつもりはない。とにかく、マッサージチェアでたっぷり全身を揉《も》みほぐし、すっかりくつろいでしまっている様子の三人組を早く帰そうと思ったら、次の患者が来るのを天に祈るよりほかないのだ。

「そうだ。ねえ、あんたならインターネットって、分かるんでしょう?」

「私ですか？　いえ、詳しくなくて」

「そうなの？　だって、あんた、最近いつもパソコン、ぱちぱちやってんじゃない。あれとは違うの？」

「パソコンはやってるんですが、インターネットの方は、まだ、やったことがないんです」

恐縮してみせると、だが、老婆《ろうば》たちは「あっそ」と言うだけで、大して落胆した様子も見せない。

「それにしてもさ、これからは警察も大変だわよ。ねえ？　盗んだものを、そんなとこで売ってるなんてさあ」

再び老婆たちの会話が始まる。芭子は、彼女たちに数杯目のお茶を淹《い》れてやりながら、「ねえ」と言われ、出来るだけ愛想のいい笑いを浮かべて頷《うなず》いた。

「捕まってよかったですね」

「だけど、罰当たりなんてもんじゃあ、ないわよ。あんた、お寺さんのものを盗もうっていうんだからさあ」

「盗んだうえに、それを売ろうっていうんだから。買う人がいるから、そういうことするわけだろうけど。ねえ。時代が変わってるっていうか」

「なしわりの方法も、以前とは違ってくるでしょうね」

何気なく口にして、そのままカウンターに戻りかけたとき、老婆たちがぽかんとしているのに気がついた。

「ちょっと。なあに、なしわりって」

一瞬、こめかみの辺りがヒヤリとなった。そういえば、これは刑務所で覚えた言葉だった。例のミモザのヨネ子あたりが、そんなことを年中喋《しゃべ》っていて、ついつい覚えてしまったのだ。

「ナシがどうしたのよ。果物の、ナシ？」

「あ、あの――盗まれた品物から、犯人を割り出す方法なんですって。その――よく、ミステリー小説なんかに出てくる言葉です」

「ああ、小説にねえ。へえ、なしわりっていうの。へえ」

素直に感心している三人から、芭子は慌《あわ》てて遠ざかった。いけない。あそこで覚えてきたことは、一つ残らず、綺麗《きれい》さっぱり忘れようと自分に言い聞かせてきたつもりなのに、こんなところでひょっこり口をついて出るとは思わなかった。

何の小説だって聞かれたら、どう答えるのよ。

どこかで気持ちが緩んでるんだろうか。

油断したら、駄目なんだから。そういうときに、ボロが出るんだから。今の生活を壊さないためには、いつも神経を尖《とが》らせていなきゃ駄目なの。もうっ、あれほど自分に言い聞かせてきたのに。

受付カウンターの内側に逃げ込むようにして、芭子は思わず握り拳《こぶし》を作った。冷や汗が滲《にじ》んでくる。頭の中では、自己嫌悪《けんお》の言葉が一気に渦巻いた。それにしても、どうして「なしわり」などという言葉が出てきたのだろう。すっかり忘れていたつもりなのに。それほど、刑務所での暮らしや会話は、自分の内に染《し》み込んでしまったということなのだろうか。

自分で自分にショックを受けていた。たかが一年程度では、長かった刑務所暮らしの垢《あか》は、そう簡単に落ちるはずがないということなのだろうか。結局、こうやって一生、背負い続けなければならないのだろうか――。

こんな気持ちを自分一人の内にためておくのはあまりにも苦しくて、夕方、芭子は綾香に電話をした。すると綾香は「何かあったでしょう」と、芭子の声を聞いただけで素早く反応し、このところ少し足が遠のいていた居酒屋にでも行こうかと誘ってくれた。綾香が開拓した「おりょう」という土佐料理を出す居酒屋は、それこそ泥棒騒ぎが頻発した三崎坂を途中で曲がった界隈《かいわい》にある。

「なるほどね。つい、そういうことって、あるかも知れないよねえ」

ここへ来たときの指定席になっているテーブル席に落ち着いて、店の人が厨房《ちゅうぼう》に引っ込んでしまうと、芭子はひと通り事情を説明し、深々とため息をついた。

「もう、自分で自分が嫌になっちゃった」

「言葉っていうのは、確かにある程度、覚えたら、そう簡単に忘れないもんだからねえ。でも、まさか芭子ちゃんの口から、『なしわり』なんていう言葉が飛び出すとは思わなかったな」

「私だって。それも、すらすらっと出たんだよね――そんな言葉、自分から使ったことだって、なかったはずなのに。ねえ、変に思われたんじゃないかなあ。患者さんたち、きょとんとした顔、してたもん」

「上手にごまかしたじゃない、大丈夫だよ。今度から、もう、その線で行こうって決めとくことだわね。もしも妙なこと口走っちゃったら、『ドラマで』とか『小説で』とか、そう言ってごまかせばいいって」

わずかに前屈《まえかが》みになって、互いに声をひそめて話しているうちに、生ビールと注文した料理が運ばれてきた。豆絞りの鉢巻をトレードマークにしているらしい男は、いつになくひっそりとしている芭子たちを、特段、怪しむ様子もなく、淡々と料理を置き、そのままカウンターの内側へ戻っていく。

「もう——他にどんな言葉、覚えちゃったんだろうかと思うけど、急には分からないし。ああ、ねえ、きっと変な言葉、覚えてるはずだよねえ？」

「大丈夫だってば。気にしないことにしよう。何かの時にしか出てこないんなら、そういう話題になったときだけ、気をつければいいんだから」

「そういうって？」

「だから、ヤバい話よ。事件に関係する」

ビールのグラスを掲げて、綾香がにっこりと笑いかける。芭子も、仕方なく、自分のグラスを持って乾杯の真似事《まねごと》をした。

「だけどさ、ヤクとか、がんをとばすとか、普通の人も当たり前に使ってるからね。大概のことを言っても、驚かれないと思うんだけどなあ。今日の場合は相手がお婆ちゃんだから、驚かれたんだよ。第一、新しい言葉を聞いたって、忘れちゃうに決まってるって、すぐに」

「——そうかな」

「私だって最近、物忘れが始まってるって思うもんね」

「やだ、もう？」

「使わない言葉なら、そのうち忘れるかも知れないでしょ。とにかく、あんまり怖がらない方が、いいって」

ビールを飲み、あれこれと喋っているうちに、芭子の中でも、開き直りに近い気持ちが芽生えてきた。

「口から出ちゃったものは、しょうがないよね」

「そうそう。これから気をつければ、いいだけのこと。それより芭子ちゃん、パソコンの方は、どうなの。上達してるの？」

「そっちは心配いらない。もう、かなり普通に使えるから」

綾香に「へえっ」と感心され、それから芭子は夢中になってパソコンの話をした。話をしているうちに、これが新しい楽しみを見つけた喜びというものだということにも気づき始めた。

「夏までには、思い切って買っちゃおうかな、私も」

「いいじゃないよ、そうしなさいよ」

「――でも、特に使う用がなかったら、贅沢《ぜいたく》かな」

「そんなことないって。私にも教えて欲しいしさ」

あれこれお喋りをして店を出る頃には、すっかり気分も吹っ切れていた。

「ああ、気持ちいい」

「暖かくも、寒くもない、こういう季節が一番いいねえ。あそこにいる時でさえ、気持ちよかったもんね」

「また。そういうこと言う」

言いながら、つい笑っていた。夜風が心地良く吹き抜けていく。ああ、どん底の時代は過ぎたのだと、しみじみ思った。空気の澱《よど》んだ、鉄格子《てつごうし》に囲まれた時代。動物園のキリンみたいに、食べること以外に何ひとつ楽しみのなかった時代。本当に、過去になった。そのうち、もっと遠い過去になる。

「私さあ、そろそろ一年になるんだ」

「あ、そうか。じゃあ、お祝いしなきゃ」

「本当？　してくれる？」

「もっちろん！」

街灯の落とす二人の影を眺めながら、ゆっくり坂道を下りるうち、坂道の下から上ってきた自転車が、ちりん、ちりん、とベルを鳴らした。何なのだ、ちゃんと端っこを歩いているではないかと思ったら、「やあ！」という声が響いた。相手は立ち漕《こ》ぎまでして近づいてくる。芭子は思わず綾香の腕にしがみついた。

「やっぱり芭子さんだった！　どっか行ってたんですか」

思わず舌打ちをしたくなった。よりにもよって、あの奇妙な警察官ではないか。綾香が斜め下からこちらを見る。芭子は必死の思いで、綾香に頷いて見せた。

「いえ――あの、もう帰るところですから」

確か、高木といった警察官は「そうなんですかあ」と、相変わらず気味の悪い笑いを浮かべている。

「夜道ですから、気をつけてくださいよね。僕が送って行けたらいいんだけど、ちょうど呼び戻されちゃって」

「大丈夫ですから。あの、お友だちも一緒ですし」

「あ、お友だちですか。どうもどうも」

若い警察官は、綾香に対しても自分の名を名乗り、ついでに、下の名前の文字まで説明した。

「嬉《うれ》しいなあ、こうやって偶然に会えるなんて。縁があるのかなあ。ねえ、ここを通る日なんて、決まってるんですか？」

「決まってません。全然」

芭子にしては、きっぱり言ったつもりだった。だが高木は「そっかあ」と笑っているばかりだ。芭子は、密《ひそ》かに綾香の袖《そで》を引いた。すると、ようやく綾香が「あの」と口を開いた。

「私、明日の朝が少し早いものですから、この辺で失礼いたしたいんですが」

普段、滅多に聞かないような綾香の丁寧な口調に、多少の酔いも手伝って、芭子はつい吹き出しそうになってしまった。警察官も、にやにや笑ったままでこちらを見ている。

「じゃあ、気をつけて。おやすみなさい」

「ごめんください」

軽く敬礼して、自転車を押しながら歩いていく警察官に、綾香はまた馬鹿《ばか》丁寧な挨《あい》拶《さつ》をしている。芭子は綾香の腕を摑《つか》んだままで、しばらく黙って坂道を下った。せっかく楽しい気持ちが戻ってきたところだったのに、あいつのお蔭《かげ》で台無しだ。もう、と口を開きかけたとき、綾香の腕が震えているのに気がついた。隣を見ると、彼女はくっくっと笑っているのだ。

「――何よ、綾さん。どうしたの」

だが、綾香は何も言わない。ただ頬を膨らませ、顎《あご》を引いて、懸命に笑いを堪《こら》えているばかりだ。

「何ったら、ねえ！」

思わず腕を揺すった。すると綾香は一度、立ち止まって後ろを振り返り、さっきの警察官の姿が見えなくなったことを確かめた上で、思いきりげらげらと笑い始めた。周囲の空気が揺れるほどの笑い声だ。

「芭子ちゃん——ああ、おかしい。あんた、あんたさ、気がつかない？」

「何よ、藪《やぶ》から棒に」

「あの、今の、あれ」

「——お巡《まわ》り？　高木聖大？」

「そうそう。あのお巡りくん、ひょっとして、あれ、芭子ちゃんに気があんのよ！」

「ちょっと、やめてよっ！」

よりにもよって、どうして警察官などでなければならないのだ。天敵に近いのに。アレルギーのもとなのに！　だが綾香は、さも愉快そうにひたすら笑い転げている。

「いや、私の勘に狂いはないと思うよ。何たって人生経験が豊富なんだから、見りゃあ、分かるんだから」

「やめてったら、もう——」

第一、相手が警察官では、どうしようもないではないか。幸せな結末は望めない。

絶対に。そのくらい、綾香だって承知しているはずだ。

「いいじゃないの、せいぜい想《おも》わせてやんなさいって。芭子ちゃん、あんた、自信持ちなさい」

「だって、いくら自信持ったって――」

「あれは、ちょっと無理だけどね、そのうち、いい出会いがきっとあるから。このまま一生、ずっと独りぼっちだなんて考えないでさ」

笑い疲れたように、はあ、はあ、と息さえ切らしながら、綾香は「人生は、何が起きるか分からないから、面白いのよ」と言った。

「つらいことでも?」

「そう、つらいことでも!」

それから綾香は、何を思い出したのか、またもやくっくっと笑い始めた。半月《はんげつ》よりも少し痩《や》せた月が、薄い雲の向こうにぼんやりと見えていた。

唇さむし

1

路地を一つ曲がったら、少し先を鮮やかな黄色いビニールプールがふさいでいた。

いくら暑い日になったとはいえ、彼岸も過ぎた。見上げれば、空には刷毛《はけ》ではいたような白くて薄い雲が走っているし、陽射《ひざ》しだってひと頃のような強烈さは失った。

それなのに、まだ？

取りあえず自転車からは降りることにして、小森谷《こもりや》芭子《はこ》は、行く手を阻《はば》むビニールプールと建物との隙間《すきま》を目で測った。別段、その路地を通らなければならないわけではないのだが、引き返すのも面倒だ。遠目には、あの程度の間隔があれば、何とか通り抜けられそうにも見える。

自転車を押して、ゆっくり歩く。軒を連ねている家々の大半には庭も外塀もなく、その代わり、道路沿いにいくつもの植木鉢やポットなどを並べて、小さな盆栽や草花といったものを植え、ささやかな緑を楽しんでいる界隈《かいわい》だ。

「あら、ごめんなさいね」

ちょうど、プールの真ん前の家から、六、七十に見える女が出てきた。開け放ったままの玄関は引き戸式のもので、靴脱ぎの奥はすぐに障子戸になっている。この辺りでよく見かける、古い家の典型だった。女は、黒と白と、それに、ずい分以前に染めたらしい明るい茶色とが入り交じっている、三毛猫みたいな髪をして、手には料理で使うおたまを持っていた。

「そこの端っこ、通ってちょうだいな。通れるわねえ？」

芭子は「大丈夫です」と頷《うなず》き、それにしても、どうしておたま？　と内心で首を傾《かし》げながら、プールに近づいていった。女が出てきた家の向かいも、やはり外壁に沿ってプランターを並べている。さらに、窓に取り付けてある面格子《めんごうし》にまで、高さを変えていくつものポットが掛けられていたから、それらのいずれにも、自転車のペダルやハンドルなどで引っかけないように気を配る必要があった。通り過ぎざまに、ちらりと反対側のプールを眺めると、水の中を、いくつかの小さな赤いものが、ゆらゆらと動いているのに気がついた。

「あ、金魚」

外側は鮮やかな黄色だが、内側は白い色のビニールプールに満たされた、いかにも涼しげな水の中で泳いでいる小さな赤は、はっとするほど鮮やかで、美しく見えた。

「こないだの、根津神社のお祭りのときにね、孫が金魚すくいしてきたもんだから」

ワンピースの女は、困ったような笑顔になった。

「だけど、いざとなったら面倒なんか見られないからって、『お祖母《ばあ》ちゃん、可愛《かわい》がってね』って、置いてっちゃってねえ。金魚だって、飼えばそれなりに手間がかかるっていうのに」

つまり、その孫のためにでも買ったのに違いないビニールプールを使って、水槽の水を取り替えていたというところらしい。芭子は「なるほど」というように頷いて見せた。

「それに、あそこん家《ち》じゃあ、猫を飼ってるもんだから、ママが『猫に襲われちゃう』なんて脅かして。この辺だって猫は多いでしょう？　だけど、ねえ、こうやって置いといたって、ほら、ひぃ、ふぅ、みぃ、数なんて減ってやしないわよ。六四、ちゃあんと」

それは、単に運が良かっただけではないかと思った。事実、この界隈は猫が多い。普通に考えれば、こんなところにいる金魚は、猫にしてみれば格好の獲物か、または面白い玩具《おもちゃ》に見えても、不思議ではない。

「ママはねえ、もう、猫に夢中でね。猫っ可愛がりとは、よく言ったもんだわ」

これも、この辺りの特徴なのか、または、この年代の人たちの特徴なのだろうか。別段、顔見知りでなくても、たまたまこうしてすれ違っただけで、当たり前のように話し始める人が少なくない。それは芭子のアルバイト先でも、日常的に見かける光景だった。自己紹介なし。前置きも、細かい説明も、なし。それでも話しているうちに、ごく自然に、互いの事情が分かってくる仕組みになっているらしい。

「今度だって、たかだか一泊、こっちに泊まるっていうだけで、もう猫が心配で心配で。同じくらいの心配を、息子にだってしてやってくれりゃあ、いいのに」

芭子は「はあ」と頷きながら、やはり、違う道を選べばよかったと後悔していた。こういう立ち話は得意ではない。面白くも楽しくもないし、ただ気疲れするばかりだ。第一、下手をすれば、そのうち、こちらのことだって根掘り葉掘り質問されかねない。そういう煩《わずら》わしさが嫌だった。

「今度だって久しぶりに顔を見せるっていうから、息子の大好物を作っといたのね。あの子は小さい頃から鶏の唐揚げが大好きだったから。だけど、食べないのよ」

「――はあ」

「何でも、こないだの健康診断で、あちこち引っかかって、会社からも痩《や》せるように言われたんだって。まだ四十前なのに。そんなの女房のつとめだと思わない？　ママが普段から、ちゃんと見てやってくれればいいんじゃないの。ねえ？」

「――はあ」

「ホント、嫌んなっちゃう。親よりも先に寝たきりにでもなったら。あんた、あの女のことだもん、もう簡単に、ぽんっと放り出すでしょうよ。そうしたら誰が面倒見るっていうのよ。私？」

「――はあ」

「無理に決まってる、そんなの。金魚とは、わけが違うんだもの」

はあ、はあ、と繰り返しながら、そろ、そろ、と少しずつ前に進む。面倒と思いつつ、いつもこういう場面に遭遇すると、さっと振り切るような真似《まね》も出来ないのだ。何となく、死んだ祖母の面影と重ね合わせてしまうし、母だって、そろそろ似たような年齢に差しかかろうとしているはずだ、などと考えてしまう。もちろん、ここまで年老いてはいないだろうが、芭子が今年で三十になったのだから――それでも、そろそろ還暦に近い。

「あの、すみません、じゃあ――」

こういう場面でのさりげない挨拶《あいさつ》からして、どうにも苦手だった。またね、という間柄でもないし、さようなら、では固すぎる気がする。「ごめんください」などという挨拶は、自分の歳《とし》ではまだ似合わないと思う。「どうも」という言葉遣いは、母がひどく嫌っていたせいか、芭子も何となく抵抗がある。

「ええと、私はそろそろ」

結局、仕方がないから意味もなく曖昧《あいまい》に笑って見せる度、何となく、その場から逃げ出すような気分にさせられるのも、不快の原因の一つだ。妙に後ろ髪を引かれるような気がしてしまう。もちろんそんなものは、芭子一人の思いこみに過ぎない。現に今だって、あれほどの勢いで喋《しゃべ》っていたはずの女は、別段、引き留めるそぶりも見せず、それどころか、あんたなんか知らないと言わんばかりに素っ気ない表情に変わって、さっさと踵《きびす》を返すところだった。

「さて、これで水もすっかり温《ぬる》んだからね」

玄関の内側に置いてあったプラスチック製の水槽を手に、プールの傍にかがみ込んで、三色の髪をした女は、手にしていたおたまで「金魚すくい」に取り組み始めた。

「これ、おとなしくしてちょうだいよ」

いかにも大儀そうな口ぶりとは裏腹の、意外に素早い手さばきで、女はプールの中の小さな金魚を、すいっとすくう。まるで金魚がみそ汁の具にされるようにも見える光景だった。一匹すくい、二匹すくい、三匹めに取り組み始めたところで、芭子は、彼女から遠ざかった。

近道のつもりが。

でも、まあ、それほど損をした気はしない。金魚の赤が、脳裏に焼きついた。少し広い通りに出ると、やがて夕方に差し掛かろうとする陽射しが、わずかに夏の名残を感じさせた。そして、再び陽の射さない路地に入れば、そこにはもう秋がある。この町で暮らし始めてから、二度目の秋だ。

――これから、だんだん。

気温も下がり、空気も澄んでいくだろう。昔から、芭子はこの季節が得意ではなかった。心細くて、淋《さび》しくて、みじめで、わけもなく悲しくなる。それでも、去年の今頃のことを思うと、今年はずい分落ち着いていると思う。何しろ、去年の秋は最悪だった。孤独という言葉が頭から離れなくて、見えないナイフに全身を貫かれているような「痛い日」が続いた。毎晩のように、自分で自分を抱きしめながら、どうしても涙がこぼれてきた。だが今年は、こんな空を見上げても、もう意味もなく泣きたくなったりしない。それだけ確実に、時が流れたのだ。

取り立てて嬉しいことも楽しいこともないけれど、その代わりに悲しいことも、苦しいことも、あるわけではない。それで十分、満足だ。そう思うことが出来る。

さっきのプールを見たせいか、たまには明るいうちから風呂《ふろ》に入るのもいいような気分になった。自宅に帰り着くと、芭子はまず浴槽に水を張り始め、それから二階の物干し台に上がって、よく乾いている洗濯物を取り込んだ。その昔は父が使っていたという話で、今は芭子の寝室になっている二階の六畳間は、この家で一番、陽当たりがいい。お日様の匂《にお》いのする洗濯物を一枚一枚、畳む間も、開け放った窓からは陽射しがこぼれ、日に焼けて古ぼけた畳さえ心地良かった。

――ちょっと、ひと休みもいいかなあ。

窓を開け放ち、西に傾き始めている陽射しの中で、古畳の上にごろりと横になってみる。まだ半分くらいしか畳み終えていない洗濯物からは、お日様の匂いと共に、微《かす》かに柔軟仕上げ剤の香りがした。洗濯するときに、そういうものを使う、ついでに下着や手洗いする類《たぐい》の衣類は洗剤の種類を変えた方がいいと教えられたのは、丁度一年前のことだ。それまでは、芭子はひたすら洗剤だけを使い、下着でもTシャツでもタオルでも、ゴワゴワして痛いようなものを使っていた。

――私、そんなことも知らないんだね。

洗剤を変えるだけで、こんなにも違う風合いに仕上がることを知ったとき、惨《みじ》めさと情けなさで、思わず涙ぐんだ日のことを思い出す。一度しか着ていない薄手のニットをざぶざぶ洗って、すっかり縮んで駄目にしてしまったときのことだった。

あの頃と比べたって、今の方がずっといい。誰に見とがめられることなく、こうして寝転がりたいだけ寝転んでいられる幸せ。思い切り手足を伸ばして、一人で過ごせる贅沢《ぜいたく》。第一、この、芭子を取り囲んでいる洗濯物はどうだ。下着だって普段着だってパジャマだって、どれ一つとして芭子の氏名を書き込んでいるようなものはないし、すべて芭子が自分で選んで買い求めたものだ。どれも安物だけれど、色も柄も、すべて自由。仕上げ剤を使ったお蔭《かげ》で、ふんわりと柔らかくなって、こんなに優しい香りをさせて。

――これが自由。

どんなに淋しいと思っても。どれほど独りぼっちでも。慣れてしまえば、泣きたいほどのものでもない。一人で歌っていることだって出来る。

口から出任せの歌を口ずさみ、古ぼけた天井を見上げているうちに、本当にまどろみそうになってきた。畳の感触を味わいながら、寝返りを打ちかけたとき、ふいにジーパンのポケットから携帯電話の着信音が響いた。綾香《あやか》だ。

「今、どうしてる?」

「今？　うとうとしてたとこ」

「じゃあ、暇ってことだよね？　あのさ、もう少ししたら出てこない？　日が暮れた頃」

「――どこに？」

「誘われたんだ」

「だから、どこに」

「カラオケ」

　ぼんやりしていた頭が急にはっきりした。

「カラオケ？　誰に誘われたの」

「うちに来るお客さん」

　綾香の声は、いつも以上に弾んで聞こえた。だが、その屈託のない明るさが、何となく癇《かん》に障《さわ》った。一体、どこの誰にカラオケなどに誘われたというのだろうか。

「行ってみようよ」

「でも――」

「すんごい、久しぶりでしょう？　ひょっとして、この町に来てから、初めてじゃない？」

「それは、そうだけど――」

だが、気分が乗らない。どう言い訳しようかと迷っているとき、今度こそはっとなって、芭子は「いけないっ」と跳ね起きた。

「お風呂！」

電話を耳に当てたまま、慌《あわ》てて階段を駆け下りる。案の定、古いホウロウの浴槽からは、縁まで一杯になった水が、薄暗がりの中で鈍く光りながら、さらさらと溢《あふ》れ出していた。芭子は思わず「あーあ」と声を上げた。

「もしもし？　何よ、芭子ちゃん、お風呂、空焚《からだ》きしたの？」

「違う。お水を溢れさせた――」

電話の向こうから「なんだ」という、笑いを含んだ声が聞こえてくる。

「まあ、しょうがないよ。空焚きじゃなくてよかった。だから、ねえ」

「行かない、カラオケなんか」

ひんやりしたタイルの上に立ち、狭い浴室に声を響かせながら、芭子は一人で唇を尖《とが》らせた。

「だいたい、誰に誘われたのよ、綾さん。また変な男じゃないの？」

「違う、違う、女だってば。この近くの、スナックの雇われママっていう」

「やだ、そんな女のとこなんか」

「まだ、会ってもいないくせに」

「でも、いや！　行きたいんなら、綾さん一人で行ってくれれば」

「ああ、分かった。八つ当たり」

「八つ当たりなんか、してないってば！」

それにしても、この入れすぎた水をどうしよう。このまま捨てるには、あまりにもったいない。情けない気持ちで眺めている間に、芭子の耳に、綾香の「そんなに嫌なら、しょうがないか」という声が聞こえた。

「じゃあさ、今日のところはあきらめるとして。これから行っていい？　今日は結構お客さん多くって、こっちの仕事も早く終わったから」

「——お風呂、入ろうと思ってたのに」

「あれ、だったら、行かない方がいい？」

「——夕ご飯のおかず、考えてくれる？」

分かった分かったという声がして、電話は切れた。それからまだ少しの間、芭子は、たっぷり溜《た》まった浴槽の水を眺めていたが、そうだ、こういう水の使い方も、洗剤のことと同様に、綾香に相談すればいいのだと思い立って、浴室を出た。

「洗濯にでも使うしか、しょうがないよ」

もぐもぐと口を動かしながら、当然といった口ぶりで言う綾香を見て、芭子は「ふうん」と唇を突き出した。何だ、つまらない。綾香なら、もっと目からウロコが落ちるような使い道を教えてくれると思ったのに。それくらいなら芭子だって思いつく。

「なあに？　何か、不満？」

こちらの表情に気がついたのか、綾香は怪訝《けげん》そうな表情になって首を傾《かし》げている。

食卓には、チョリソソーセージとポテトサラダ、それにコロッケなどが並べられている。今日、芭子が用意したものといったら、豆腐のサラダと、はす向かいのお婆《ばあ》ちゃんにもらったひじきの煮付けだけだった。どうせ一人でとる夕食だと思っていたから、あとは百円ショップで買ったサバ缶でも開ければいいと思っていたのが、思いがけずご馳走《ちそう》になった。

「あ、分かった。まだ怒ってるんだ」

綾香はパン職人を目指して日々、小麦粉と格闘している。ずぶの素人《しろうと》から始めて、まだ見習いに毛が生えたようなものだから、毎朝五時から出勤して、相当にきつい仕事をしているようだが、朝が早い分、上がらせてもらえる時間も早いし、時にはこうして店で残った食材などを分けてもらうこともあった。チョリソもサラダも、そしてコロッケも、すべては綾香の働く店で調理パンの具材として使っているものだ。

「怒ってるって？　何のこと？」

綾香は「またまた」と、いかにも意味ありげな表情で口元だけで笑っている。

「カラオケに行こうなんて言ったから。芭子ちゃんの知らない人と」

嫌なことを言う。芭子は、「そうじゃありません」とそっぽを向いた。

「芭子ちゃんも会ってみれば分かるって。本当、そんなに感じの悪い人じゃないから。見た目は派手だけど、気さくで」

いつものビールもどきを飲み、綾香はふう、と息を吐《つ》く。彼女はビールが大好きだ。昔は一滴も飲まなかったらしいし、実のところ本物の「ビール」を飲むことは少ないのだが、とにかく、この一年あまりの間に味を覚えた。「労働の後の一杯はたまらない」というのが、彼女の口癖だ。

「お店で出すパンを、よく買いに来るんだけどね、何とかトーストっていうのを作るんだとか言って」

ぱり、といい音を立ててチョリソを噛《か》み、綾香はもぐもぐと口を動かしながら考える顔になる。

「できたてのパンじゃなくてかまわないっていうんだよね。その何とかトースト作るのには。だから時々、おまけしてあげたりするわけよ、私がレジをやってるときなんか」

「何だろう——メルバトーストかな」

すると綾香が「そうそう！」と声を上げた。

「さすが、芭子ちゃん！　知ってるんだ」

綾香は「やっぱりねえ」としきりに頷《うなず》いている。

「違うねえ。東京のお嬢さんは」

「やめてよ。あんなもの程度で」

ますます嫌な気分になった。そのメルバトーストを食べていた場所を、ぱっと思い出したからだ。銀色のバスケットに盛られて、いつもナッツ類と一緒に出された。パリパリに乾かした上に、きつね色に焼かれた極薄のフランスパンは、いつも少ししょっぱくて、食べると妙に喉《のど》が渇いた。そして、べつの飲み物を注文することになるのだ。大好きだった彼が喜ぶようなものを。いつも前髪をかき上げながら笑っていた、どうすれば自分が魅力的に見えるかを十分に承知していたホストの彼に、優しい言葉をかけてほしい一心で。

「でね、いつもおまけしてもらってるからって、誘ってくれたわけよ。見たところ、芭子ちゃんと似たような年頃じゃないかな」

「――だったら、綾さん一人で行けばよかったじゃない。誘われたのは綾さんなんだし」

「また、そういう言い方する。せっかく――」

「せっかく新しい知り合いが出来て嬉《うれ》しいんでしょう？　だから、その人ともっと仲良くなりたいんでしょう？」

「そうじゃなくて。だって芭子ちゃん、カラオケ好きだったじゃないよ。ほら、ムショのカラオケ大会の時だって――」

相手が言い終わらないうちに、芭子は「またっ」と声を荒らげて綾香を睨《にら》みつけた。綾香は、ひどくびっくりした顔になって、箸《はし》を宙に浮かせたまま動きを止めた。

「もうっ！　何回言ったら分かるの？　どこで誰が聞いてるか分からないって」

綾香はわずかに慌てた様子で肩をすくめ、ぺろりと小さく舌を出す。

「だけど、平気だってば。テレビだってついてるんだし、これくらいの話し声、外になんか聞こえないって」

「そういう問題じゃないのっ。ちゃんと癖をつけなきゃダメだって、いつも言ってるでしょう？　いい？　そのひと言は禁句なんだから。絶対！」

テレビでは、さっきから『笑点』の「大喜利《おおぎり》」が始まっていた。本当は、この番組だってあまり観《み》たくない。どうしたって、一年半前までの暮らしを思い出すからだ。あれだけ規則に縛られた生活を送っていながら、この『笑点』だけは、毎週日曜日に観られる数少ない番組の一つだった。そう、刑務所の食堂で。皆で行儀良く椅子《いす》に腰掛けて。

「もう——思い出したくないことばっかり思い出させるんだから」

「まあまあ。ねえ、ビールもう一本。芭子ちゃんも飲もう、ね？」

芭子は、ふん、と鼻を鳴らすとバタバタと台所に走り、グラスと新しいビールもどきを持ってきた。今日は飲まないつもりだったけれど、綾香があまりにも面白くないことを言うのが悪い。

「芭子ちゃんさあ、少し神経質になり過ぎなんだよ」

芭子の手からビールもどきの缶を受け取り芭子のグラスにもそれを注ぎながら、綾香は、少したしなめる口調になった。

「いつも言うけど、何でもかんでも、あそこでの生活とか、昔のことに結びつけようとするの、やめた方がいいって」

「分かってるけど。だけど——思い出しちゃうんだもん。綾さんは、ないの？　そういうこと。思い出さない？」

世間の誰にも、口が裂けたって言えないことだけれど、芭子が綾香と知り合ったのは、刑務所の中だ。年齢は一回りも違うし、性格も違う、生まれも育ちも何もかも違う彼女と芭子だが、そこで寝食を共にした仲だ。

「ないわけ、ないじゃん。ああ、第一ね、そのカラオケスナックの雇われママっていう子を見たときに、真っ先に思い出したのが、ほら、あの——」

ビールもどきを飲みながら、綾香は「ほら」と宙を見上げて考える顔になる。

「ハトコ」

「ハトコ？　ああ、ええと、服部香江子《はっとりかえこ》」

「そうそう、偉いねえ、芭子ちゃん、すぐに名前が出てきて。あのハトコに似てるなあって。何となくさ」

芭子も、かつて同じ刑務所にいた一人の受刑者の顔を思い出していた。

「じゃあ、どっちかっていうとタヌキ系の。多分、化粧映えするかなあっていう顔？」

「映えてるんだろうとは、思うよ。こっちの方は、すっぴんは見てないけど」

「ハト」というのは、おそらく伝書鳩《でんしょばと》からとった呼び名だと思うが、要するに同じ刑務所内にいながらも、会話や連絡を厳しく制限されている受刑者たちのために、メモやメッセージを届ける役目を負っている者のことをいう。もちろん、見つかれば懲罰の対象になる行為なのだが、服部香江子という受刑者は食事の配膳係《はいぜんがかり》だった関係から、よく受刑者たちからハトとして頼まれごとをしていた。もともとがスリだという話だったから、当然といえば当然なのかも知れないが、技としては巧みな方で、懲罰にかけられたこともないという。そこで、いつしか本名ではなく「ハトコ」と呼ばれるようになったと聞いた記憶がある。

「まさか、本人じゃないんでしょうね」

「まさか」

「分からないじゃない。綾さん、ちゃんと確かめた？」

「感じが似てるっていうだけだってば。第一、ハトコはもう四十過ぎだったじゃん」

「その人だって本当はそういう年齢なのかもよ。じっくり作り込んでるだけで」

「そこまでは塗りたくってないって。本当、大丈夫だってば、もう。絶対に別人」

それでも芭子は容易に納得できなかった。確かに年齢は上なのだが、この綾香にはどうも心配になるところがある。芭子から見ても、どこか脇《わき》が甘いというか、お人好《ひとよ》しな感じがして仕方がないのだ。

「とにかく。用心に越したことはないんだからね。私、死んでも嫌なんだから。あそこにいた連中なんかとばったり出くわすの」

「分かってるから。そんなことより。ね？　芭子ちゃんだって、嫌いじゃないでしょう、カラオケ。だいたい、あそこでのカラオケ大会っていうと、必ず何かの賞もらってたじゃないよ。賞品だって」

「あんなところの賞品っていったって。せいぜい、お菓子とかジュースじゃない」

「それにしたって、あの頃は貴重だったんだしさ。うらやましがってる連中、いっぱいいたじゃない」

確かに、そうだった。規則に縛られ、何の娯楽もない生活の中では、食べることだけが唯一《ゆいいつ》の楽しみになる。それも盆暮れ以外に甘い菓子が食べられることなど滅多になかったから、たとえチョコレート一粒でも嬉しかったことは、芭子もよく覚えている。その代わり、出所してからはあまり食べたくなくなった。ことに、そんな賞品でもらった銘柄は、絶対に嫌だ。

「たまにはさあ、いいと思わない？　大声張り上げて熱唱するっていうのも」

本物のビールよりもチクチクする味のビールもどきを飲みながら、芭子は思わず「そりゃあ、まあ」と呟《つぶや》いた。

「でも――だったら、カラオケボックスとか」

「意外に馬鹿《ばか》だねえ、この子は。そんなところに行ったら、お金がかかるでしょうが。そこの店なら、安くしてくれるっていうの。食べ物とか飲み物代は取られるだろうけど、暇な時間だったら気兼ねなく、歌いたい放題だって。だから行く気になったんじゃないよ」

ほとんどちぎることもせずに器に盛っただけだったから、一つ一つが大きすぎるレタスを口からはみ出させ、目を白黒させながら、綾香は「だから行こうよ」と続ける。それでも芭子は、もう一つ気持ちが乗らなかった。何しろ、最近のヒット曲をまるで知らない。これでは格好がつかない。だが、それを言うと、綾香はさらに目をむいて、「何、言っちゃってんのよ！」と声を張り上げた。

「芭子ちゃん、あんた、誰に聞かすっていうの。自分が歌いたいもの歌えば、いいじゃないよ。私は、やっぱり百恵《ももえ》ちゃんだよ。あと、ピンク・レディー」

どうしてそんなこと気にするのかねえと、彼女にしては珍しいくらいの早口で、綾香はまくしたてた。刑務所《あそこ》のカラオケ大会では、ほとんど懐《なつ》メロのオンパレードだったこと。涙で歌えなくなるような受刑者も少なくなかったこと。そのためのカラオケだったこと。

「あのとき、芭子ちゃんって何、歌ったんだっけ。ほら、最後のカラオケ大会の時」

「あのときは――『アジアの純真』かな。パフィー。あんまりウケなかったけどね」

「だって、あんな歌知らないのが大半だったもん。でも、それでいいんだって。芭子ちゃんが、自分のために歌うんだからさ。誰も知らない歌だって。全然」

「て、いうか、あの頃までの歌しか、私、知らないんだ――私より後から入ってきた、もっと若い子が歌ってたようなのは、まるっきり知らなかった」

芭子の刑務所生活は七年間だった。それ以前、逮捕されるしばらく前から、既にテレビも観なければ音楽も聴かない暮らしに陥っていた。今にしてみれば何をして過ごしていたのかも思い出せないほど、完璧《かんぺき》に「どうにか」なっていた。ただひたすら、恋しい人のことだけを想《おも》って、その彼がホストだったばっかりに、彼のために現金を手に入れることだけを考えて暮らしていた。そうこうするうち、テレクラなどで知り合った男から金を奪うことを考えつき、その挙げ句に「昏酔強盗《こんすい》」容疑で逮捕されて、それきり一切の潤《うるお》いのあるものからは遠ざかってしまった。音楽も色彩も笑いも、ときめきも、お洒落《しゃれ》も家族も、何もかもから——。

「ちょっと。芭子ちゃん！」

大きな声で呼ばれて、我に返った。

「だ、か、ら。行ってみようってばあ！」

綾香がここまで言うのなら、仕方がなかった。大きくため息をついてから、芭子はゆっくり頷いて見せた。すると綾香はグラスに残っていたビールもどきを一気に飲み干し、顔を天井に向けて「よっしゃ！」と声を張り上げて、ついでに「うははははは」と笑った。

次の水曜、そろそろ帰り支度を始めようかと思った矢先に、早くも芭子のアルバイト先に綾香が現れた。

「は、こ、ちゃーん。帰りましょ」

ドアチャイムの音と共に、馬鹿明るい声を響かせて、綾香はいつもの綿シャツにジーパンという姿で、もうにこにこと笑っている。

「喉の調子はどう？　ばんばん、歌えそう？」

いかにも浮かれた様子の彼女を見て、芭子は、つい苦笑しながら、「ちょっと待ってて」と答えた。

「六時までは開けてないとまずいから。片付けだけ、早くしちゃうね」

「手伝おうか？」

「いいよ。綾さん、その辺の椅子に座って、マッサージでもしてれば？」

今日の「オレンジ治療院」はヒマだった。患者が来ない時のアルバイト先は、電動マッサージ機などが並ぶだけの、いかにも殺風景な場所だ。たった一人で過ごしていた芭子は、実に久し振りに声を出した気分になった。

あら、どっこいしょと言いながら、超高級マッサージチェアに身体《からだ》を沈める綾香のためにリモコンをセットしてやると、やがて綾香の口から「うおあああううう」という、何とも言えない声が洩《も》れてきた。

「こりゃあ、きもちいいわ」

タオルをまとめたり、湯沸かしポットを空にしている間にも、「んむむ」という、うなり声とも何ともつかない綾香の声が聞こえてくる。考えてみれば、ほとんど毎朝四時起きで、しかも肉体労働の日々だ。いくら刑務所にいる間に、工場作業の他、畑仕事や草むしりといった労働で、筋力と基礎体力をつけているとはいったって、芭子より一回り年上の綾香が、疲れていないはずがなかった。

六時を待って看板をしまい、電気を消すぎりぎりまで、綾香はマッサージチェアにおとなしく座っていた。そして、芭子が「お待たせ」と声をかけると、「いけない」と跳ね起きた。

「寝そうになってた」

「疲れてるんだよ。一週間働いて。早く休んだ方がいいんじゃないの?」

「違う、疲れてるから、歌ってすっきりしたいんじゃん!」

どうあっても、カラオケに行く決心は変わらないらしい。そんなにカラオケが好きだとは知らなかった。刑務所時代だって、カラオケ大会に張り切っていたという記憶もないくらいだ。うきうきした様子で自転車にまたがる綾香の後を、芭子は半ば呆《あき》れ気味についていった。

日の暮れたよみせ通りを、二人して自転車を走らせる。やがて、不忍《しのばず》通りへ抜ける路地から、さらに奥に入ったところに、そのスナックはあった。

「ちょっと——大丈夫なの、こんな店」

いかにも古ぼけた木造モルタルアパートの一階を、まるで無理矢理のように改装した印象の店の傍まで行ったところで、芭子は思わず自転車から飛び降りて声をひそめた。さすがの綾香も、わずかに不安げな顔になっている。

「変な店だったら、すぐに出てくれれば、いいって。この辺で、そんなヤバい連中がいるなんていう話は、聞かないでしょう？」

それにしても、場末のうらぶれた店だった。貧乏くさくて、生活に疲れた雰囲気が漂っていて、不健康そうな匂《にお》いが立ちこめている。確かに、かつて芭子が夢中になっていた新宿のホストクラブあたりだって、昼間の太陽の下で眺めると、意外なほど安っぽい、作り物めいた雰囲気で、興醒《きょうざ》めするどころではなかった。所詮《しょせん》は人工の光の下でのみ、何とか格好をつけることが出来て、昼間の現実とは異なるドラマを紡《つむ》ぎ出す世界なのかも知れないと、切なく感じた記憶がある。だが、「ボニー＆クライド」という小さな看板を掲げた目の前のスナックは、そんなものと比べるどころか、お話にもならなかった。「汚《けが》らわしい」という表現さえ、思い浮かぶ。

「本当に入るの？」

「だって、約束しちゃったもん」

約束って、と、つい綾香を睨《にら》みつけそうになったとき、カランカランと小さくカウベルの音がした。薄闇《うすやみ》の向こうから「あっ」という声が路地に響いた。

「お姉さんでしょ？　パン屋さんの。来てくれたんだあ。あ、自転車？　その辺に止めて大丈夫だからさ。入って入って！」

万事休す。もう逃げられなかった。「そうでーす」と声を上げて、さっさと自転車のスタンドを立てる綾香を、芭子はやはり呆れて眺めていた。どうせ一度で懲《こ》りるに違いないと思った。

3

店内に一歩足を踏み入れただけで、外見の印象通りの世界が広がった。酒と煙草《たばこ》とため息と、化粧品と人々の体臭と、あらゆるものが混じり合い、それらを安物の芳香剤がひとまとめにして薄めようとしているような、何とも濁った空気の中で、芭子は独りでに自分の顔が歪《ゆが》みそうになるのを感じた。

ねえ、やっぱり、やめようよ、と言おうとして綾香を見たのに、ところが、綾香の方は、まったく違う反応を見せていた。狭い店の、ベンチチェアの隅っこに腰を下ろすなり、まず嬉《うれ》しそうに狭い店内を眺め回し、それから手書きのメニューを熱心に覗《のぞ》き込み、芭子に対しても「いらっしゃいませー」と笑顔を向けるママがおしぼりを差し出しただけで「どうもどうも、すいませんね」などと頭を下げた挙げ句、「ぐはははは」と歯をむき出しにして笑っているのだ。

「どうしちゃったの、綾さん」

ビールとともに、おでんと焼きそばという、祭りの屋台のような料理を注文して、「絵摩《えま》でーす」と名乗ったママが、ピンクやオレンジや青などの、色とりどりのプラスチックビーズで出来ている縄のれん風の間仕切りの向こうに消えると、芭子は早速身を乗り出して綾香の顔を覗き込んだ。

「ねえ、何だか嫌だよ、この店」

だが綾香は、早くもカラオケリストを開きながら「私ってさ」と呟いた。

「実をいうと、初めてなんだ、こういうとこ」

嘘《うそ》でしょう、という言葉が喉元《のどもと》まで出そうになった。だが次の瞬間には「待てよ」と思う。それから芭子は、改めて彼女の経歴を思い返してみた。

「――そう、なんだ」

「まるっきり、縁がなかったからね」

地方都市のOLから二十代で専業主婦になった彼女は、その後、夫の暴力に耐えながら流産を繰り返し、ようやく授かった子どもにまで夫の暴力が及びそうになったところで、ついに夫の生命を奪った。その結果、赤ん坊だった我が子は夫の実家に預けることになり、彼女は、それまでの人生の何もかもを失った。刑務所暮らしが終わってからは、ひたすらパンを焼く日々だ。確かに、スナックなどは無縁だったに違いない。

「独身時代も?」

「誘われたことはあるけど、結局、行かなかったなあ」

見回すと、天井の片隅からは、ソフトボールに毛が生えた程度の、ちっぽけなミラーボールが下がっていた。レジの脇《わき》には、昔はよく見かけたパブミラーがかけられている。ママの趣味なのか、または常連からの贈り物か、民芸品や小物の類《たぐい》がカウンターにも、さらに奥の棚にも細々と並べられていて、それらのすべてが色あせている。カウンターの下には、レンタル業者から届いたらしいおしぼりが詰め込まれたケースが、古新聞や雑誌の束の隣に、置きっ放しになっていた。それらを眺めながら、芭子は、いよいよ切ない気分になっていた。掛け値なしに、最低ランクの店だと思う。そう判断できるだけの経験が、芭子にはあった。それなのに、こんなにも喜んでいる綾香が哀れだった。

「バイトの子が来るのが、いつも九時からなのね。それまでは私一人だからさ、ちょっと忙しくなると、お相手できなくなるけど。そんときは、ごめんね」

やがてビールと共に、メルバトーストや簡単な乾きもの、さらに芭子たちが注文した料理を出し終えたママは、煙草ケースを片手に、芭子たちの傍の席に腰掛けた。金髪に近い明るい色の肩まである髪を大きくウェーブさせて、化粧もしっかり、香水の香りも相当に強烈だ。大きく開いたシャネルもどきのスーツの胸元には金の鎖が数本、耳元にも指にも、大振りの石を輝かせている。そういえば、ハトコと面差しが似ていなくもなかった。だが、確かに、ハトコよりは格段に若そうだ。

「いつも彼女の店でパン、買うのね。それで、一回遊びに来てって誘ったんだけど、友だちと一緒ならって言うからさ、私、てっきりコレかと思ったのよ」

ママは、わずかに目を細めて煙草を吸いながら、空いている方の手で、親指を立ててみせる。

「そしたら、違う違う、妹みたいな子なんだって。男なんか、誘うはずないじゃないって言うからさ、普通、何でって聞くじゃない？　そしたら、男には懲りてるからとか言っちゃって。やだ、じゃあ、あたしと一緒じゃないってことになってさあ」

あっはははは、と、ハスキーな笑い声が店内に響いた。

「とにかくさ、今日は楽しんでってよ。お代のことなんか心配しないで。儲《もう》けるんならさ、男からぼったくるから、安心して。お嬢さんも、ねえ？」

お嬢さんなんて、と、芭子は、つい曖昧《あいまい》に口元を歪めた。そんな風に言ってもらえる立場でもなければ、年齢でもない。だが、ママは「またまた」と、指輪とともに、ネイルアートを施した爪《つめ》の手をひらひらとさせる。

「こう見えても、あたし、目だけは確かなんだ。そりゃ、お酒を飲んじゃいけない歳《とし》だとか、そこまでのお世辞は言わないけど」

ママは、またもや、あっははははと大きな笑い声を上げる。それを見ている綾香も、何だか嬉しそうな顔をしていた。

「ママだって、若いじゃないの」

「ママなんて、やめてよ。名前で呼んで」

「あ——じゃあ、絵摩《えま》さん」

「これ、本名なんだよ、私の。もう、ババアになってこんな名前じゃ、どうすんのよって。ここだけの話ね、三十も半ばになると、肌だってぼろぼろだしさあ、あちこちガタが来て。まあねえ、身から出た錆《さび》っていうか、ガキの頃からろくなことしてきてないから、早く老《ふ》けんのも、しょうがないかも知れないんだけどさ」

「え——二十代じゃ、ないんですか。私より若い方かと思った」

お世辞のつもりはなかった。実際、作り込んではいるが、二十七、八歳程度ではないかと思ったのだ。本気で驚いていると、絵摩は「ちょっとお」と笑いながら芭子の手の甲を軽く叩《たた》く。ひんやりと冷たく、妙に柔らかい感触が、痺《しび》れたように残った。

「お嬢さん、レズじゃないんでしょ？」

「ち、違いますよ。それに私、お嬢さんなんかじゃ――」

「もう、レズでもない子に、そんなこと言われちゃったら嬉しいわよぉ。ビールでいい？　おごらせて。小瓶だからケチくさいけど、まあ、気は心ってことで」

芭子の返事も待たずに、絵摩はスツールの狭い隙間《すきま》を泳ぐように歩き、カウンターの内側からビールの小瓶を取ってきた。客商売だから、こんなに早く打ち解けるのだろうか。最初からビールなどサービスしてもらっていいものだろうかと、かえって落ち着かない気分になる。だが、何か話しかけようとしても、綾香は熱心にカラオケのリストをパラパラとめくるばかりで、こちらを見ようともしない。

「お嬢さんこそ、おいくつなの。女同士だもん、いいわよね」

戻ってきた絵摩は、ビールの小瓶を差し出しながら、上目遣いに芭子の瞳《ひとみ》を覗き込んでくる。芭子が三十になったと答えると、かなり太めのアイラインとつけまつげに縁取られた彼女の目が一瞬、すうっ、と細められた。猫みたいだ。

「可愛《かわい》いわねえ。どう見たって、二十四、五って感じ。清楚《せいそ》でさあ、初々《ういうい》しくて。お肌なんてつやっつやじゃない？　やっぱり女の子は、そういう風になんないとダメだわ。幸せになろうと思うんなら。ねえ」

芭子には返事が出来なかった。救いを求める気分でもう一度綾香を見たとき、ちょうど顔を上げた彼女は、「歌います、『いい日旅立ち』！」と声を上げた。

結局その晩は十時近くなって、やっと次の客が現れるまで、芭子は綾香と交互にマイクを握り、カラオケを続けた。綾香があくびをし始めたし、絵摩も忙しく動き始めたから、頃合いを見計らって、芭子が綾香の袖《そで》を引っ張った。内心ではかなり不安になっていたのだが、請求された金額は本当に一人千円ずつという、拍子抜けするほど安いものだった。芭子は思わず「嘘でしょう」と絵摩の顔を見てしまった。

「言ったでしょう、安心してって。オーナーがうるさいから、いつも五時には開けてるんだけど、うちが忙しくなるのはね、いつもこれくらいからなの。もう、相手してもらえただけで、十分」

絵摩は、またもや猫みたいに目を細め、囁《ささや》くような声で「その代わり、また来てよね」と続けた。

「私だって本当は、エロいおっさん相手にするよりか、女同士で気楽にお喋《しゃべ》りしたいもん。だから、たまにはお仲間に入れて、ね」

絵摩の声とカウベルの音に見送られて、店の外に出ると、コオロギの声が響いていた。新鮮な空気に触れて初めて、芭子は大きく息を吐き出した。

「歌った歌った。あーあ。楽しかった」

自転車を押し、暗い路地を抜けて、再びよみせ通りに戻る。そこにいつもの商店街が広がっていることの方が不思議な気分だった。

「ね、そんなに感じの悪い人じゃなかったでしょう？　ハトコに似てると思わなかった？」

「雰囲気はね」

「芭子ちゃんのこと、お嬢さんなんて言っちゃって。いいとこ、あるじゃない。第一、安くしてくれたしさあ」

それは、芭子も認めないわけにいかなかった。一人千円とは。だが、正直なところ、芭子はあの絵摩という女には、どうも今ひとつなじむことが出来そうにない。確かにさっぱりしている人だとは思うのだが、あまりに厚化粧で、表情が読み取りにくいせいだろうか。いや、あの、すうっと目を細めたときの表情が、何となく嫌だったのかも知れない。そのときの、人を探るような目つきばかりが芭子の中に残っていた。

「ねえねえ、カラオケやると、免疫力《めんえきりょく》が上がるんだって。知ってる？」

「知らない」

「思いっ切り声出すのって、全身にいいらしいんだよね」

「でも、あそこ、かなり空気悪かったよ」

「そうお？　他の客が来ない間なら、煙草の煙も充満するほどじゃないしさ、気にならないじゃない」

立て続けにあくびをしながら、それでも綾香は興奮が冷めやらない様子だ。

――まあ、しょうがない、か。

このところ、芭子はアルバイト先で必要に迫られたこともあって、パソコンの使い方を覚えた。今まで毛嫌いしてきたが、実際に使ってみると便利なことが分かったし、その上、インターネットにも少し慣れてきて、ついにこの間、思い切って念願のノートブックパソコンを買ってしまった。今は、暇さえあればパソコンに向かっている。刑期を終えて一年半、ひたすら息をひそめて、目立たないように、地味に、質素に暮らしてきた芭子にとって、それは、初めて得た趣味でもあり、潤《うるお》いであり、新しい世界だった。

「今まで、綾さんには何の楽しみもなかったんだもんね」

「そんなことも、ないよ。仕事だって楽しいし」

「だけど、息抜きも必要だったんだよ」

綾香は少し照れたような顔で「そうかな」と小首を傾《かし》げていた。秋の虫が鳴いている。昨年ほどではないにしろ、やはり淋《さび》しい気分になりがちな、これからの季節は、カラオケでもして気分を晴らすのも、いい方法かも知れなかった。

芭子たちの「ボニー&クライド」通いが始まった。とはいえ芭子の方は週に一、二度、綾香の休みの前日や週末に、綾香と揃《そろ》って行く程度のことだ。だが綾香の方は、他の曜日にも開店と同時に行っては、小一時間くらいでも歌ってくる日が増えている様子だった。

「だってさ、芭子ちゃんの仕事が終わるの待ってると、結局、遅くなっちゃうし、やっぱり私だって、次の日のことも考えるからさ」

芭子も一緒に行ったときの、ママと綾香のやり取りから、芭子が知らない間に二人が親密さを増しているらしいことを感じたとき、芭子は、綾香からそんな言い訳めいた説明を聞かされた。

「気をつけた方がいいよ、だけど」

その日はせっかくの水曜日だったが、芭子の方が風邪《かぜ》気味ということもあって、今日は歌いには行かずに、芭子の家で二人で夕食をとることになった。何気なく口を開くと、綾香は怪訝《けげん》そうな顔で首を傾げた。

「何に気をつけんの」

「あそこを出てくる前にも、さんざん言われたでしょう？　うまい話には気をつけろ。簡単に他人を信用するなって」

「そうだけど。あそこでうまい話って？」

「だから。いくら安くしてもらってたって、そのうち、代わりに何か要求されちゃうかも知れないし」

「何を」

「分からないけど──ボトルキープとか」

面白くなさそうな顔でこちらを見ていた綾香だったが、その瞬間「なーんだ」と、声を出して笑った。

「そのくらい、したっていいじゃん。私が一人で行くときなんか、あの子、お金取らないくらいなんだから」

「そうなの？　一銭も？」

「いくら何でも、まるっきりタダっていうのも悪いから、必ず店のパン持ってってたりは、してるけどね」

芭子の中で、何かざらりとした、嫌な感触があった。どうして、そこまでしてくれるのだろうか。綾香の何が気に入って、よく知りもしないうちから、そんなにも親切にしてくれるのだろう。何が目的なのだろうか。

「——どういう人なの、あの人」

自分でもわずかに不機嫌な顔になったのが分かった。だが綾香の方は、「絵摩ちゃん?」と、こともなげに言う。いつの間にか、「さん」から「ちゃん」になった。

「そんなに詳しく聞いたことはないけど、何だか波瀾万丈《はらんばんじょう》みたいなことは言ってたな。バツニなんだって。昔でいう、ツッパリっていうかね、そんな感じだったらしいよ」

その程度なら、あの外見と話した感じから、芭子にだって容易に想像はついていた。

「だけど、苦労も多かった分、人の心の痛みも感じるようになったって、この前しみじみ言ってたな。特に、自分と同じような苦労をした人のことは、どうしても放っておけないって」

一瞬、顔から血の気が退《ひ》いた。芭子は「綾さんっ」と飛びつきそうな勢いで顔を突き出した。

「まさか、私たちのこと、喋ったんじゃないだろうねっ」

綾香は「まさか」と顔の前で箸《はし》を振る。

「じゃあ、何なの、それ。自分と同じような苦労って!」

「男だよ、男! 私も、それから、芭子ちゃんも、事情は違うけど、それぞれバツイチだって言ったから」

「私のことまで？」

　やめてよ、私はバツイチなんかじゃない、という言葉が喉元《のどもと》まで出かかった。だが一瞬早く、綾香が「だってさ」と、上目遣いにこちらを見た。

「バイト先には、そう言ってあるんでしょう？　方々に違うこと言ってるより、統一した方がいいと思ったから」

「だけど、この近所の人たちは、私が海外に行ってたと思ってるんだよ」

「この辺のジジババなら、ごまかしもきくかも知れないけどさ。でも、具体的に色々と聞かれたら困るじゃん。別に、海外にいる間に結婚してたってことにしたって、構わないんだから」

「誰とよっ。外国人と？」

　綾香は、今度は呆《あき》れたような表情になって、海外にいた日本人ということで構わないではないか、と言った。

「とにかく、それで通すことにしちゃえば、誰もそれ以上に細かく聞こうともしないだろうし、一番いいと思ったんだよ」

「だけど、私、バツイチなんかじゃあ――」

膨れっ面《つら》で呟《つぶや》いたとき、綾香が「おかしいよ」と言った。見ると、綾香は、意外なくらいの真顔になってこちらを見ていた。

「その感覚。私らみたいな立場の人間が、バツイチ程度でそういう見方するの」

「そ、そういうつもりじゃなくて。私がバツイチに見られるのが――」

言いかけて、はっとなった。確かに綾香の言う通りだ。バツイチに見られたくないなどと、どの口から言えるというのだろう。前科のある人間が。顔が、かっと熱くなった。恥ずかしさと惨《みじ》めさが同時にこみ上げて、芭子は思わずうなだれてしまった。

「最低――私――何様のつもりなんだろう」

「気持ちは分かるから。私も、ぺらぺら喋っちゃったのがまずいんだ。けど、下手にごまかすよりは、そっちで通す方が、まだましかなと思っちゃったもんだから」

「――本当のことがバレたら、人間扱いもされないかも知れないのにね」

どれほど時がたとうが、気持ちが立ち直ろうが、過去は過去だ。決して消えることはない。その上、こんな自分の中に、バツイチ程度に対して、こだわりがあったことも、またショックだった。芭子は思わず頭を抱えそうになった。本当に嫌になる。

「元気出しなって。大丈夫だから。ねえ、何ならこれから、歌いに行っちゃう？　ぱあっと歌って、すっきりしちゃう？」

そんな気分ではなかったが、これ以上、頑《かたく》なに見られるのも嫌だった。今日も最初から綾香が歌いに行きたがっていることは、百も承知していた。しかも、直接は関係ないにしろ、「ボニー&クライド」のママにも、何となく申し訳ないことをしたような気分になっている。喉は痛かったけれど、芭子は「うん」と小さく頷《うなず》いた。

「あら、今日はゆっくりじゃない」

既に八時近かったが、まだ他に客の姿はなかった。すっかり慣れた物腰でいつもの席に陣取り、早くも曲選びを始めた綾香の傍で、芭子は、メルバトーストを運んできた絵摩に、夕食は済ませてきたと伝えた。

「そうなんだ。どこで？　小森谷さんのおうち？　あらあ、いいわねえ」

絵摩は「うらやましい」と言いながら、銀の煙草《たばこ》ケースから煙草を取り出す。

「やっぱりさあ、女は家庭的なのが一番だよね。それに、こう言っちゃ何だけど、小森谷さんって、育ちがいいでしょう」

「そんなこと、ないです。全然。普通」

「見れば分かるって」

ふう、と煙草の煙を吐き出して、絵摩は「こればっかりはねえ」と、一人で納得したように頷いている。

「持って生まれた運命みたいなもんだから。私なんかさあ、言いたくもないけど、もう、小森谷さんたちなんかが想像もつかない世界を見てきてるしね」

「想像も、つかない？」

綾香が、いつもの山口百恵を歌い出す。芭子は、わずかに心臓が高鳴るのを感じながら、思わず絵摩の顔を見つめていた。彼女は、マットなピンクに彩《いろど》った形のいい唇をわずかに歪《ゆが》めて、「そう」と笑う。

「前にも言ったけど、悪かったからさ、私。今にして思えば、ホント、馬鹿《ばか》だったと思うけど、当時は後先なんか何も考えてなかったしね。正直な話、パクられる寸前だったと思うよ」

「あ——寸前、ですか」

「シャブこそやらなかったけど、シンナーもやってたし、万引き、カツ上げ、援交もどき？　家出もすりゃあ喧嘩《けんか》もするって感じ。そうでもなけりゃあ、今時、十七くらいで結婚する子なんて、そうそういやあ、しないでしょ」

「十七で、結婚したんですか」

綾香の歌が、山口百恵から八代亜紀《やしろあき》に変わった。芭子は嫌な気分になって、熱唱する綾香をちらりと眺めた。刑務所には八代亜紀のファンが多かった。本人が慰問に来たせいもある。彼女の生の歌を聴いて、受刑者の多くは嗚咽《おえつ》を洩《も》らしていた。

「それがさあ、二十七の鉄筋工だったんだけどさ。入れ墨なんか入れちゃってるような。まあ、彫ってるっていったって、半分くらいは輪郭だけだったけど」

「筋彫りですね」

何気なく相づちを打った途端、絵摩の表情がぱっと変わった。

「意外。小森谷さんって、そういうことに詳しいわけ？　ちょっとお、ひょっとして親分の娘か何かじゃ、ないんでしょうね。おとなしそうに見えて」

芭子は「まさか」と慌《あわ》てて首を振った。まずい。またもや刑務所で得た知識が出てしまった。絵摩の目が、また一瞬、すうっと細められた。この目だ。これが、どうも好きではない。だが彼女は、すぐに「それでね」と話を戻した。

「十八で子ども産んだでしょう？　で、二十五で離婚。何しろ、酔えば殴る蹴《け》るの男でさあ、おまけにギャンブルで大借金作って。もう、やってらんないわってね」

なるほど。綾香と絵摩とは、そういう夫を持ったという点で共通しているというわけかと思った。

「でさ、三十で再婚したんだけど、今度もダメ。女癖が最悪でね、結局、去年よ。ばいばーいって。もう、男なんて、こーりごり」

「あの、お子さんは」

「実家で育ててもらってる。だってさあ、私が育てたって、ろくなことになんないじゃん」

確かに、かなり壮絶な人生を歩んできている様子だった。それでも、刑務所までは行っていないらしい。それが当然だ。大抵の人は、あそこに行く手前で踏みとどまる。そこを突き抜けてしまうのは、よほど要領が悪いか、意志が弱いか、または魔がさした者ばかりに違いない。芭子がぼんやり考えていると、絵摩は「何から歌う？」と、気分を変えるように言った。芭子は、今日はやめておくと答えた。

「ちょっと風邪気味で、喉が痛いから」

すると絵摩は「あらっ」と言って席を立ち、しばらくすると湯気の立つ飲み物を持って戻ってきた。

「飲んでみて。ゆず茶に少しだけウォッカをたらしてあるんだけどさ、すごく温まるのと、喉が痛いとき、いいから」

一人で歌いまくっている綾香が、ちらちらとこちらを見ている。芭子は、温かい湯気を吹きながら、ゆずの香りを味わった。

「——美味《おい》しい」

「ああ、よかった。そう言ってもらえたら。歌いすぎたお客さんに、出してあげることとか、あんの。私って、こう見えて、お茶が好きでさ、韓国のものも、中国茶にもね、ちょっと凝ってんのよ」

「絵摩ちゃん、私も飲みたいなあ、それ」

曲の合間に、綾香がうらやましそうに身を乗り出してくる。すると絵摩は「あいよっ」と、服装や化粧とは似合わない返事で、身軽に席を立っていった。確かに、綾香が気持ちを許すのも、分からないではなかった。ああいう開けっぴろげな明るさや、何とも言えないタフな雰囲気は、芭子にはないものだ。

「もうちょっとだけ歌ったら、今日は帰るから。のど、大丈夫？」

一曲、歌い終えた綾香が、機嫌を取るような顔つきで言った。芭子は、両手でゆず茶のカップを包み込むように持ちながら、小さく頷いた。刑務所を出るときに言われた言葉を思い出す。一人の人間として、誰に頼ることなく、一方で、地域にとけ込んで生きていくことを考えなさい。良い隣人を持てば、あなたがたの人生だって、きっとやり直しがきく——綾香は綾香で、芭子とは異なる世界を持ち、人間関係を作っていくのは当然のことだ。そう、自分に言い聞かせることにした。

4

熱こそ出なかったものの、芭子の風邪は長引いた。喉の痛みに続いて、今度は咳《せき》が出始め、それがいつまでも治らない。ひょっとしたら気管支炎にでもなっているのではないかと心配になるほどだった。アルバイトにはマスクをつけて行っていたが、三日ほどしたら、今枝《いまえだ》院長が加湿器を買ってきてくれた。体力の低下している老人が多く集まる治療院で、スタッフが咳をしているのはまずい、ということだった。

だが、それから一週間しても、やはり咳はおさまらない。今枝院長は、風邪に効くツボと咳に効くツボを教えてくれた。特に、咳が止まらないときに効き目がある膻中《ダンチユウ》という胸の中心にあるツボは、少し押しても気持ちが良かった。

「夜、咳が止まらないときはここのツボを押すといいから」

滅多に顔を合わせることもない雇い主だったが、こういうときは、さすがプロのマッサージ師だった。お蔭《かげ》で次の一週間も、何とか乗り切ることが出来た。

「この土日で、きっちり治すようにね。頼むよ、他にいないんだから」

そして金曜の今日、今枝は夕方、早めにやってきて、芭子を簡単にマッサージしてくれながら、そう言った。このときほど、今のアルバイトをしていて良かったと感じたことはないと思うくらいに、芭子は生まれて初めて受けたマッサージに感激した。

土日は家から一歩も出ないつもりで食料を買い込み、家路につく。この数日は、家の前の路地にも人影はなく、こちらの顔を見れば、いつでもどこでも話しかけてくる妙な警察官と出くわすこともない。綾香とも、しばらく会っていなかった。食品を扱う仕事をしている彼女に、この風邪を感染《うつ》すわけにいかなかったから、心配する彼女を、芭子の方で断っている。

一人で夕食をすませ、今日のところはもう一日、風呂《ふろ》も我慢した方がいいだろうかと考えていたとき、例によって綾香から電話が入った。

「何でも要るものがあったら、遠慮しないで言ってよ、ちゃんと。玄関先で渡して帰るんでも、いいんだから」

「ありがとね。ねえ、カラオケ、行ってる？」

ほとんど三日にあげず一緒に過ごしていた芭子が、こんな調子では、綾香にしてみれば心配も心配だろうが、何より退屈するに違いない。せめて、心おきなく「ボニー＆クライド」へでも行って、絵摩を相手にカラオケを楽しんでいてくれる方が、気が楽だ。だが、返ってきた答えは意外にも「うーん」という、何とも煮え切らないものだった。

「行ってないの？」

「──そういうわけでも、ないんだけど」

「何、どうしたの？」

少し、間があいた。芭子が「なあに」と繰り返したところで、ようやく「それがさあ」という呟《つぶや》きが聞こえてくる。

「やってないんだよね、ここんとこ」

「やってないって？」

「閉まってんの」

「いつから？」

「先週」

「一週間も？　何だろう、絵摩さんも風邪かな」

それとも実家に預けてある子どもにでも会いに行ったか、または客の誰かに誘われて、ちょっとした旅行にでも出ているのかも知れない。

「住んでるところは？」

「知らない。携帯も、何回鳴らしてみても『電波の届かないところにいるか電源が切れてます』って」

綾香の声は、芭子を心配するときよりも、さらに憂鬱《ゆうう》そうに聞こえた。既に携帯電話の番号まで教え合っているのかと、芭子は、そちらの方に軽い衝撃を受けた。芭子の携帯電話を鳴らすのは、今枝院長か綾香しかいない。他の誰かから番号を教えてくれと言われたこともないし、芭子の方から電話する相手も、持っていない。

「大丈夫だよ、きっと」

一応は慰める口調で言ってみたが、本当は面白くなかった。だが綾香は、やはり、いつになくしょげかえった声で「うん」としか言わない。

——そんなに心配なんだ。

電話を切ると、また咳が出始めた。柱時計の音だけが響く古い茶の間で、出したばかりのコタツに突っ伏して咳き込み、それがおさまってからもしばらくの間、芭子は、ぼんやりと天板に頬《ほお》をつけたまま、宙を眺めていた。このまま、綾香が自分から遠ざかっていってしまったら、どうしようと思う。けれど、引き留めることなど、出来るはずもなかった。所詮《しょせん》はただのムショ仲間。いずれ、違う道を歩むのが、考えてみれば当然なのだ。

——そうなったら、本当の独りぼっちになる。

この、秋も深まろうという時期に。

恋人同士でもあるまいし、まさか絶交のようなことにはならないだろうが、それでも距離が開いていくことは覚悟しなければならないのかも知れない。そうして綾香は、どんどん外の世界に向かっていくのだろうか。やがて芭子のことなど忘れて。

何だか久しぶりに泣きたい気分になってきた。寝るにはまだ早い時間だったが、芭子はコタツのスイッチを切って、のろのろと二階へ上がってしまった。このまま二日間、横になって過ごしてしまってもいい気分だった。

「どうしよう、芭子ちゃん！」

ところが、やっとうとうとしてきたと思ったところで、携帯電話に起こされた。寝ぼけ眼の芭子の鼓膜を、綾香の悲鳴のような声が直撃した。

「なに——こんな時間まで起きてて、明日、大丈夫なの」

枕元《まくらもと》の時計を見ながら、かすれた声を絞り出すと、「それどころじゃないんだようっ」という声が、鼓膜どころか脳味噌《のうみそ》まで震わせた。もう十一時を回っている。

「——何だっていう——」

こちらが言い終わらないうちに「ああああ」という叫びとも呻《うめ》きとも、何ともつかない声が聞こえてくる。

「やられたぁ！　どうしよう。ああ、やられたよぉ」

　目が覚めてきた。芭子は手探りで、天井から下がっている蛍光灯のひもを引っ張り、ベビーランプのぼんやりした黄色い明かりから青白い光に変わった部屋の中に起きあがった。

「ちょっと、どうしたの。何がやられたの。もしもし、綾さん？」

　それでも電話の向こうからは「ああああ」という声が響いてくるばかりだ。

「綾さんってば！」

　繰り返し名前を呼ぶと、ようやく綾香の声が「芭子ちゃあん」と聞こえてきた。

「私が馬鹿《ばか》だったんだよ——芭子ちゃんにも注意されてたのに——」

「だから、何のこと。ねえ、今、どこ」

　取りあえず電話では埒《らち》が明かない。芭子は、有無を言わさず「すぐおいでよ」と言った。パジャマの上からカーディガンを羽織り、靴下を履いて、芭子は階下の電気をつけ、コタツのスイッチを入れて綾香を待った。雨戸の外から、コオロギの声が響いている。

　ようやく家のチャイムが鳴らされたのは、それから十五分ほどしてからのことだ。やきもきしながら待っていた芭子は、飛び出すようにして玄関のドアを開けた。

「――綾、さん」

一目で尋常ではなかった。服装だけはいつもと変わらないが、その表情は固く強張《こわば》っていて、目は虚《うつ》ろに一点を見据えている。まるで、能面のようだ。一瞬、息を呑《の》みそうになりながら、芭子は「入って」と促した。魂が抜けてしまったようにも見える綾香の腕をとり、引っ張り上げるようにして茶の間に通す。その間も、彼女はまるで口を開こうとしなかった。

「お茶でいい？　お酒もあるよ。患者さんにもらった日本酒。本当は、お正月に開けようかと思ってたんだけど」

綾香がコタツに足を入れるのを見届けて、台所から声をかける。それでも反応がない。芭子はいよいよ不安になって、取りあえず冷蔵庫からいつものビールもどきを取り出し、自分も茶の間に行った。

「どうしたっていうの」

二つのグラスに金色の液体を注ぎ分け、綾香の斜交《はすか》いに座って顔をのぞき込む。紙のように白い顔をして、唇を嚙《か》み、一点を見つめたまま、彼女は微《かす》かに肩で息をしていた。こんな綾香は、見たことがない。だがその一方で、かつての彼女は、いつもこんな顔をしていたのではないか、という思いも頭をかすめた。

柱時計の音が、かっつん、こっつんと響いている。コオロギがうるさいほどだ。その声の向こうを、時折、外の路地を誰かが通っていく靴音が響いた。

「――やられた」

どれくらい時間が過ぎただろう。ただでさえ、本物のビールに比べて泡立ちの少ないビールもどきから、泡などすっかり消え去った頃、ようやく綾香が口を開いた。未《いま》だに硬直したような表情のまま、視線だけが、ゆっくりこちらを向く。

「やられたわ」

「何を」

「すっかり、持っていかれた」

「だから、何を。誰に？　分かるように説明して」

「芭子ちゃんの――言うとおりだった」

「私の？　私が、何か言ったっけ？　ねえ、ちょっと、綾さん、しっかりしてよ」

綾香の視線は再び宙をさまよい、ふうう、と、聞いたこともないほどの深いため息が辺りに広がった。

「あの女さ。絵摩」

「あの人が、どうしたの」

聞き返しながら、もう胸騒ぎのようなものが広がってくる。そういえばさっきの電話で、絵摩は店を閉めていると言っていた。それと、何か関係があるのだろうか。

「とんずら」

「とんずら？　どういうこと」

「とんでもない女だったんだ。あいつ、詐欺師《さぎし》だった」

「詐欺師って――ちょっと、じゃあ、だまされたわけ？　何か取られたの？　お金とか？　ちょっと、ねえ、いくらっ」

自分でもどんどん声が大きくなっていくのが分かった。それと比例するように、綾香は次第に背を丸め、身体《からだ》を縮こまらせていく。

「ねえっ、いくらやられたのっ」

思わず綾香の腕を揺すった。彼女は唇を嚙み、何度もため息をついた挙げ句に、いかにも苦しげな声で「七十万」と呟いた。芭子は、悲鳴を上げそうになった。

「七十万もっ？　それって、貯金のほとんどじゃないの？　今日まで必死で働いてきた中から、貯《た》めた分なんじゃないの？　もう――何だって、そんなお金を渡しちゃったのよっ」

ますますうちひしがれた様子で身体を丸める綾香を見ていて、ようやく少し落ち着かなければと我に返った。芭子は、泡の消えたビールもどきを一口飲んで、大きく深呼吸をした。

「要するに、綾さん、あの女にお金を渡したっていうことだね？　七十万。それで、あいつは、どっかに行っちゃったって」

「私だけじゃなくて、他にも何人か、同じ目に遭ってる人がいるっていうことが分かって——さっきまで、その人たちと、バタバタ動いてたんだけど。結局、これって詐欺だよねっていうことになった」

「もうっ、何だって！」

「多い人は、二百万から、やられてる」

こめかみの辺りを押さえながら、それから綾香はぽつり、ぽつりと話を始めた。

綾香が一人で「ボニー&クライド」へ行くようになると、ことに開店早々の暇な時間などに、絵摩は中国茶をサービスで出してくれていたという。

「そういえば、お茶が好きだって言ってたっけ」

「今にして思えば、あれも作戦だったんだ」

ある日、出された茶がいつもと違う味だったことに気づいた綾香が「このお茶は」と聞くと、絵摩はそれがプーアル茶だと教えてくれ、そこからひとしきり、中国茶の説明を始めたという。種類の豊富なこと、品質によって、味にも相当な違いがあること、薬効も多いこと、中でも雲南省は茶の産地で、ことに少数民族が暮らす地域には、銘茶が多い、などという話だった。

「中国人の中には、そのお茶を手に入れるために、家を売り払うような人もいたりするんだって。高級なお茶は本当に高くて、同じ重さの金と取り替えるようなお茶も、珍しくないんだって」

ようやくビールもどきのグラスに手を伸ばし、ごく、ごく、と何度か喉《のど》を鳴らしてから、綾香は話を続けた。

綾香にしてみれば、行ったこともない国の、山奥で暮らす少数民族の話は、半分はおとぎ話のようにも思えて、とても魅力的に感じられたらしい。そうこうするうち、ある日、絵摩は「実はね」と切り出した。

雲南省に住むペー族という少数民族が古来から「神の茶」と呼び、標高四千メートルを超える山奥に生えているという木があったという。生えている場所を知るのは、ごく一部の人間に限られ、葉を摘むのは十代の処女に限ると言われ、その茶葉は、金よりも高値で取引されていたらしい。ところが、樹齢二百年を過ぎて、その古木がついに数年前から力尽きて、枯れ始めているのだそうだ。ペー族の人々は、何とかして、その木を生き返らせる方法はないかと、一部の専門家に相談を持ちかけた。雲南省としても、少数民族の貴重な財源であった木を復活させることは出来ないかと動き始めたという。

「それで、日本の専門家が呼ばれて、バイオテクノロジーとか、クローン技術とかで、『神の茶』とまったく同じものを作り出す計画が出来たんだって」

ただし、莫大《ばくだい》な費用がかかる。政府からの援助は微々たるものしか出ない。そこで、投資する人間を募ることになった。投資家は、新しく生まれる「神の茶」の所有権を持つことになる。そして、茶葉の収穫が可能になったあかつきには、それぞれの出資額に応じて、配当が生まれるというものだ。

「お茶は毎年、収穫するから、配当も、最低でも向こう三十年は保証できるって」

「その話を、信じたわけ？」

「だって、今、もう三本の木が育ち始めてるっていうんだよね。五年もすれば収穫が始まるって。写真も見せられた。すごい山奥を、少しだけ切り開いてて、ひょろひょろした木が植わっててねえ、そばに民族衣装の人が立ってて」

「それが、本当に中国の雲南省の山奥かどうかなんて、どうして分かるの？　お茶の木かどうかだって、分からないじゃないよ、もうっ」

　こちらが声を荒らげれば荒らげるほど、綾香はうちひしがれていく。それにしても、あの女がよくもそんな作り話を考えついたものだ。だが、さらに話を聞くうち、どうやら共犯者がいるらしいことが分かってきた。スナックのオーナーと呼ばれている存在だ。

「ある時、絵摩ちゃんと、その写真を見ながら話し込んでるとき、オーナーっていう男が現れたわけ。それも、中国人のおっさんと一緒に。それで、私が、その話を聞いたって分かったら、ものすごい剣幕で怒り出したんだよね。『こんな女にまで喋《しゃべ》ったら、自分たちの取り分が減るだけなんだぞ』って」

　すると絵摩は、綾香の肩に手を置いて、自分の大切な友人なのだから、構わないではないかと食ってかかったというのだ。どうせ死ぬまで使い切れないほどの収入になるのなら、自分だけが幸せになっては罰が当たる。だから、話だけでも聞かせてやっているのだと。

「そのひと言でさあ、何か私、ああ、この子っていい子だなあとか、思っちゃってさあ。本当は一口百万っていう話だったんだけど、私の力じゃあ、どうやりくりしても、七十しか出せないって言ったら、それで構わないっていうし。収益が出るようにさえなったら、その後は一度の茶摘みで軽く倍の百四十万は戻ってくるはずだって言うから――ああ、これでお店を出せるって、つい思ってさあ――」

「渡しちゃったの」

「渡し、ちゃった――」

「受け取りとかは？」

「仮の受領書っていうのなら」

　いつも背負っているリュックを引き寄せ、中から一枚の紙を取り出して、綾香はそれをコタツの上に広げる。七十万もの現金を預かった受領書にしては、いくら仮とはいえ、それはあまりにも粗末でいい加減な印象の、単なる殴り書きにしか見えなかった。第一、印鑑さえ押されていないではないか。果たして、こんなもので証拠になるのだろうか。

「分かってるだけで、あと何人いるの」

「三人。今んとこ」

「警察には？」

　すると綾香は、いかにも情けない表情になってぶるぶると首を振った。

「一人はね、公《おおやけ》になるとまずいお金だったんだって。で、もう一人は、奥さんに知れたら大変だからって。三人目は、恥さらしになるからって」

「誰も訴えないわけ？　じゃあ、綾さん一人？」

「私？　私だって、嫌だよ！」

「どうしてっ！」

「書類に何もかも書いたら、その段階で前科前歴、調べられるに決まってるじゃん！　痛くもない腹を探られるに決まってるし、今の店にだって、居づらくなる」

綾香の顔は必死だった。さっきまで虚ろに見えていた瞳《ひとみ》が揺れて、下手をすれば泣き出すのではないかと思うほどだ。

「じゃあ、どうするの」

「――殺してやりたい」

一瞬、二の腕をぞくぞくする感覚が駆け上がった。

「だめ――やめてよ、綾さん。それ、綾さんが言うと洒落《しゃれ》にならないよ」

思わず呟《つぶや》くと、一点を見据えていた綾香の全身から、すうっと力が抜けたのが見て取れた。彼女は丸い顔をくしゃりとさせ、それからもう一度、大きく深呼吸をした。

「ホント。洒落になんないね。あそこに逆戻りは、嫌だもんなあ」

あーあ、と声を張り上げて、彼女はそのまま仰向《あおむ》けにひっくり返った。

「またまた、丸裸にされちゃったよお。無一文に、なっちゃったよおおお」

柱時計が一時を打った。綾香は明日も仕事のはずだ。こんな時間まで起きていたら、明日が辛《つら》くて大変になる。

「今夜、泊まっていけば？　布団《ふとん》、出すから」

仰向けになると、よけいにぺしゃんこに見える顔のまま、綾香はくるりとこちらを向いて「うん」と言った。急に幼い子どもにでも戻ったかのような、何とも頼りない顔に見えた。

5

結局、それから一週間が過ぎ、十日が過ぎても、「ボニー＆クライド」が開くことはなかった。今回ばかりは、相当にショックが大きかったらしい綾香は、心なしか口数も減って、いつものように「うはははは」などと声を上げて笑うことも少なくなった。芭子は暇さえあれば、いつもより少し手間とお金をかけた料理を作って、綾香を呼ぶことにした。いつものビールもどきでなく、本物のビールも買っておいてやる。本当は、外食にでも誘ってやりたいと思うのだが、そこまですると綾香が嫌がるのも分かっていた。

「ああ、やっぱり本物のビールは美味《おい》しいねえ」

仕事帰りにやってきた綾香は、いつも嬉《うれ》しそうにビールを飲んだ。だが、その後の会話が、つい途切れがちになるのだ。テレビでもつけておかないと、間がもたないのではないかと思うことさえあった。

「こうも犯罪が多いのはさ、やっぱり、世の中のせいじゃないのかね」

ニュースで様々な犯罪が報道される度、彼女はそんなことも言うようになった。

「そりゃ、馬鹿《ばか》も多いけど、やる側にもそれなりに理由があるっていうこと、あるんだよねえ、絶対」

「綾さん――気が済まないんなら、やっぱり警察に届けたら?」

だが、綾香は決して首を縦には振らなかった。

「アイツをパクってもらったって、七十万が戻らないんなら、意味ないもん。代わりに今の職場にまでいられなくなってごらんよ。この町にだって、いられなくなる」

「それは、そうか――」

「あんな女にだまされた私が馬鹿なんだ。結局はね。それだけ」

綾香だけでなく、芭子だって、日々の生活は切りつめている。正直なところ、こうして一人で生活するようになって初めて、芭子自身も生活の不安というものを実感するようになった。逮捕前は学生ということもあったし、すべては親がかりで、衣食住にかかっている費用のことなど、考えたこともなかった。だが今は、お金は使えばなくなるという当然のことを、ひしひしと感じる。よほどの奇跡が起こらない限り、これからも一人で、誰にも頼らずに暮らしていかなければならない以上、もっとも大切にしなければならないのがお金なのだ。

「私、ずっと考えてたんだけど」

今日初めて作ってみた鶏肉《とりにく》のホイル焼きを開きながら、綾香は「うんうん」と頷《うなず》いている。

「一緒に、住もうか。ここで」

綾香の手が止まった。芭子は、まるで路地で出会った見知らぬ人と世間話をしなければならないときと同様の、どうにも決まりの悪い気分に陥りながら、曖昧《あいまい》に笑って見せた。

「そうすれば、綾さん、アパートの家賃だけでも浮くじゃない？　ほら、部屋なら余ってるんだしさ。だから――」

「本気で言ってんの？」

「何で？　本気じゃあ、おかしい？」

するど綾香は「おかしいよ」と、ひどく真面目《まじめ》な顔で呟く。詐欺《さぎ》に遭ったと分かったあの晩も、綾香の表情は独特だった。だが今の、こういう顔も、芭子にはまったく意外なものだった。

「なんで？」

「だって――考えてもみなよ」

「何を」

「平気なわけ？　人殺しと、一つ屋根の下に住んで」

「――何で、そんな言い方するの」

あまりにも予想外な言葉に、思わず言葉を失いそうになった。綾香は、自分のことをそんな風に思っていたのだろうか。常にそう思いながら、明るく振る舞っていたのだろうか。芭子は、急に食べ物が胸につかえたような気分になった。芭子と同様、この人も、自分の過去の重さに耐えながら一生を過ごすのだということが、改めて感じられた。

「そんな言い方、しないでよ――」

つい、涙ぐみそうになった。

「私たち、ずっと一緒に暮らしてたんじゃないよ。それは、ああいう世界だったけど、いつも一緒にいたでしょう？　私、綾さんのこと、そんな風に思ったことなんて、一度もないよ」

泣きたくはなかった。深呼吸を繰り返して、芭子は懸命にこみ上げてくるものを飲み下した。テレビの音が遠く聞こえる。柱時計が、ぼうん、と一つだけ鳴った。少し進んでいるようだ。まだニュースが終わっていないのに。

「あのさ」

ずい分、時間が過ぎた頃、綾香の方が口を開いた。

「そうしたら、アレ、買ってもいいかな」

「アレ？」

「カラオケ」

喉元《のどもと》に引っかかっていた何かが、すうっと落ちていってしまった。芭子は、ぽかんとして綾香を見つめた。何なのだ、この人は。

「だって、ほとんど毎日のように歌ってたんだよ。それが、ぴたりと行かれなくなったんだもん。ストレスだよお、これ」

それから綾香は、台ふきんをくるくると丸めながら、最近は家庭用のカラオケでも手軽なものが増えているらしい、と言った。

「すごいってよ。曲が内蔵されてるのとか、それから、通信カラオケっていうのもあるんだって。ほら、芭子ちゃんはもうインターネットが出来るんだから、そこから引っ張ってくるのも、あるらしいよ」

さっきまでと打って変わって、綾香は生き生きとした表情で、もう丸めた台ふきんをマイクのように握っている。

「――綾さんって、一体どういう人なの」

背負った過去のことを思い、今回の被害でさらに傷ついたことを思って、こちらとしては一生懸命に気を遣っているつもりなのに、フタを開けてみたらカラオケが出来なくてストレスが溜《た》まっていたというのでは、呆《あき》れるのを通り越して、腹が立つ。

「もう、知らないっ、綾さんなんか」

だが、綾香は、台ふきんをマイクに見立てて、もう「ズズズン、ズズズン」と何かの曲のイントロを口ずさみ始めている。

「うるさいってば！　ご飯の途中で歌なんか歌ったら、ダメなんだからね。それって、お行儀が悪いんだから！」

鶏肉を頬張り、ビールを飲んで、芭子は綾香を睨《にら》みつけた。その横で、ついに立ち上がった綾香は、「チャラッチャ、チャラッチャ」と腰を振っている。祖母から受け継いだ古い家の茶の間は、それだけの振動でも畳がしなって感じられ、天井から下がっている蛍光灯までがゆらゆらと揺れていた。

すてる神あれば

1

いつも通る路地の途中に、ぽつり、と梅の花を見つけた。

相当に古い家の、軒先に並んでいる盆栽のうちの一つだった。いつものようにアルバイトに行く途中で、その小さな白い花を発見して、小森谷《こもりや》芭子《はこ》は思わず立ち止まって花に見入った。この家の住人が、盆栽や鉢植えの手入れを怠らないことには、前々から気づいていた。家の造りからも、ひな壇状に並べられている鉢からも、おそらく高齢者の世帯なのだろうと察しがつく。とにかく花が好きらしく、季節に応じて様々な花が咲くように、実にささやかな鉢ばかりを二段、三段と、ぎっちり並べているのだ。よく見れば、白梅の隣の鉢には今度は鮮やかな紅色のつぼみがほころんできていた。暖冬と言われながらも、このところの朝の冷え込みはことに厳しかったと思うのに、こんなところに小さな季節の兆《きざ》しがある。

——大して陽も射《さ》さない路地なのに。

何だか急に、くすぐったいような心持ちになった。春が来る。そう思うだけで、こんなにも嬉《うれ》しいなんて。

思わずその場で深呼吸をしてみた。見上げれば今にも降り出しそうな曇り空だし、胸に入ってくる空気は、いつもと変わらない、少しばかり埃《ほこり》っぽくて乾いたものだったけれど、やっぱり気分は悪くない。

もしかして。

春になったら、何かいいことがあるのかも。今度の春は、何かを期待していいのかも。これは、何かの予感かも知れない。

もう、二年になるし。

可憐《かれん》な花を見つめながら、つい、そんなことまで考えてしまい、芭子は一人で小さく微笑《ほほえ》んでから、さて、と顔を上げた。その途端、足が凍りついた。少し先で、見覚えのある顔が笑っている。紺色の制服を着て、白い自転車にまたがって。

「おっはようさんです」

馬鹿《ばか》陽気な声があたりに響いた。芭子は急いで口元を引き締め、取りあえず小さく会釈《えしやく》をした。まったく。何が春の予感だか。その前に寒い冬が続いているではないか。まだまだ。当分。

「これからバイトっスか」

高木《たかぎ》という名の、芭子よりもいくつか若く見える警察官だった。どういうわけだか芭子を気に入っている様子で、顔を合わせる度に必要以上に親切に話しかけてくる。それが、芭子にとってどれほど迷惑なことであり、それどころか大きなストレスになっているかということを、この男はまるで気づいていないのだ。

「なぁんて。実はね、そろそろ芭子さんがバイトに出かける時間なんじゃないかなあなんて思って、俺、当たりをつけてたんスよね。どの辺の道を通るのかなあとか。当ったりぃ、なんてね」

顔がかっと熱くなるのが分かった。芭子は思わず唇を噛《か》んで相手の顔を見た。この男が警察官などでなかったら、とっくの昔に言ってやっているのに。ストーカーじゃあるまいし、そういうこと、やめてくれない？　私は、あんたなんかに興味はないの。好《い》い加減に、つきまとわないでよ。第一、自分の顔を鏡に映してみたことがあるの？　そんな、出来損ないのサルの置物みたいな顔で、そうじゃなかったら百年くらい漬け物樽《だる》に押し込んであった搾菜《ザーサイ》みたいな顔で、どうして平気で私に話しかけてきたり出来るわけ。私が、そういう顔を好きになると思ってるの。一体、誰に向かって——。

転がる車輪のように続けざまに頭の中で考えて、そこでがっくり力が抜けた。いつものパターンだ。そんなことの言える立場かどうか、芭子自身がいちばんよく知っている。たとえ相手が警察官であろうとなかろうと。

「あの――失礼します。遅れちゃうんで」

すっと顔を背けて小さく会釈をすると、「あっ、あっ」という声が追いかけてくる。本当にしつこい男だ。

「自転車ね、俺――自分も、気をつけて見てますから。きっと、この辺に住んでるヤツが乗ってったに違いないんだから」

「――ありがとうございます」

「やっぱ、アレでしょう？　自転車ないと、不便だよなあ」

二週間ほど前、芭子は何ものかに自転車を盗まれた。月に二、三回、唯一《ゆいいつ》の贅沢《ぜいたく》と称して飲みに行く店の前に駐《と》めておいたのが、ほろ酔い加減のいい気分で店を出てみたら、もうなくなっていた。それまではアルバイトに行くのにも近所の買い物にも、何をするのも自転車を利用していただけに、芭子は、まるで足をもがれたようなショックを受けた。第一、人のものを勝手に盗むなんて、最低の人間のすることだと、顔を真っ赤にして憤慨して、その場に一緒にいた綾香《あやか》に小さく笑われたほどだ。

――まあ、分かるけどさ、芭子ちゃん。ここは気を静めて。

苦笑気味にたしなめられて、急に気恥ずかしい思いにとらわれたことを、芭子は今でも鮮明に覚えている。無論、綾香はそんなつもりで言ったわけではないとは思う。だが、芭子には、こう言われたような気がしたのだ。「あんたに、そんなこと言う資格はないんじゃないの」と。それ以上にひどいことをしてきたくせに、と。

とにかく、多少の酔いも手伝って、店の外で騒いだものだから、既に顔なじみになっている店の人が、わざわざ「交番に届けよう」と言ってくれた。店の前に駐めておいて盗まれたとあっては、自分たちも安心できないと説得されて、芭子はそのまま店の人と綾香と共に、交番に向かうことになったのだ。そこで必要以上に「いやです」と言い張るのもかえって変に思われるから、仕方なしにとった行動だった。

やっぱり、泣き寝入りしちゃえばよかったんだ。

悪いときには悪いことが重なるもので、そのとき交番にいたのが、またもやこの高木聖大《せいだい》というとんちんかんな警察官だったときている。芭子たちが交番を訪ねると、彼は、ほとんど飛び上がりそうな勢いで「自転車窃盗被害」の連絡を、警察署かどこかに向かって無線で行い、芭子の目から見ると、喜んでいるとしか思えない表情で書類を作った。

「そんで、新しいの買うとかは、考えてないんですか」

高木は相変わらずの笑顔でこちらを見ている。芭子は、半ばうんざりしながら小さく首を振って見せた。

「まだ、見つかるかも知れないし――贅沢ですから」

「贅沢ったって――今どき自転車なんて、安いヤツだったら一万円もしないじゃないスか」

「――それでも、贅沢なんです、私には」

すると高木は「またまたぁ」と陽気な声を上げる。

「贅沢っていう意味、知ってるんスかあ、芭子さん」

ちょうど、路地を横切る格好で通りかかった人が、わずかに怪訝《けげん》そうな表情でこちらを見ていった。当たり前だ。げらげら笑っている制服警官なんて、目立つに決まっているし、第一、何とも気味が悪い。それより何より、どうしてこうも馴《な》れ馴《な》れしく、人のことを下の名前で呼んだりするのだろう。

「贅沢っていうのはですねえ、要らないものにでも金をかけるってことですよ」

「――それくらい、知ってます」

「自転車、必要じゃないですか」

「でも、一台あれば十分だっていう意味です」

「そんなこと言ったって、出てくるか分かんないんだしさ、実際、今んとこ不便な思いしてんだし。そういうのは贅沢って言わないっスよ。第一、芭子さんて、お嬢さんなんでしょう?」

「——何ですか、それ」

「だって、そう聞いてますよ」

「誰から?」

「ええ? だから、大石の爺《じい》ちゃんとか」

芭子の家のはす向かいに住んでいる老人の顔が思い浮かんだ。あの気難しい老人が、本当にこの脳天気な警察官に、そんな話をしたのだろうか。綾香と芭子が、密《ひそ》かに「怒りボタン」と名づけているほど、すぐに怒りのスイッチが入ってしまうような短気で扱いの難しい人なのに。だが高木は、何とも嬉しそうな顔でにこにこと笑い続けるばかりだ。

「俺ねえ、もともと年寄りに好かれるタイプらしいんスよね、わりと。あの爺ちゃんも、そりゃあ、短気なとこはあるけど、意外と人なつっこくてねえ、可愛《かわい》いとこ、あるんスわ」

「——それで、私のことを聞いて回ったんですか。その——」

不安と屈辱感の両方で、胸の奥がもやもやしてきた。このまま放っておいたら涙がこみ上げてきそうだ。芭子は深呼吸をして、唇を強く引き結んだ。

「刑事みたいに」

すると高木は、またげらげらと笑い出す。一体何がそんなにおかしいというのだろう。この、馬鹿男。

「そりゃあ考えすぎっス。本物の刑事《デカ》さんが聞いたら、俺なんて、ぶん殴られますって。まあ、ゆくゆくは、そっちに進みたいとは思ってるんスけどね」

「ああ、そうですか」

「だけど今はまだ、そんな、聞き込みみたいな真似《まね》してないっスから。マジで。たまたまね、大石の爺ちゃんと話をしてるときに、芭子さんの名前が出たもんだから」

「――たまたま」

「あ、いや、たまたまっていうか、わざとっていうか。とにかく自分がね、『芭子さんって、今どき珍しいくらいに、おしとやかっていうか、おとなしい人ですよね』って言ったわけです。そしたら、爺ちゃんが『当たり前だ』とか言っちゃってね。色々、教えてくれたんですわ」

「――色々って」

「え――だから、まあ、あそこの家がもともとは芭子さんの親父《おやじ》さんが育った家だっていうこととか」

「それから？」

それから、と呟《つぶや》きかけて、高木はようやく芭子の顔色に気づいたのか、初めてにやにや笑いを引っ込めた。

「あの――何か、気に障《さわ》りました？」

「――勝手に噂《うわさ》されて、嬉しい人間がいると思います？」

「あ、あ、俺は、べつに、そんなつもりじゃあ――」

「どんなつもりでも、です。その制服を着ていれば、誰にでも信用されて便利なのかも知れないけど、下品だわ、そういうの」

「下品って――」

「失礼します。仕事に遅れますから」

今度こそ、芭子はさっと姿勢を変え、出来るだけ背筋を伸ばして歩き始めた。心臓がドキドキしている。耳鳴りもしている気がする。ところが路地を曲がり、少し広い通りに出たところで、またもや「待ってくださいよぉ」という声が追いかけてきた。

もう、何なのよ！

いっそ走って逃げ出したい。だが、意地でも走らない。ここで走ったりしたら、芭子はまるで過去に向かって突っ走っているような気分に陥るに違いなかった。警察官に追われて、ただの犯罪者に逆戻りして。

「謝りますから！　すんません」

走らない。絶対。繰り返し自分に言い聞かせている間に、とうとう涙がこみ上げてきた。どうしてこんな目に遭わなければならないのだ。今年になって初めて、ほんの少し春の気配を感じたという、その日に。

「芭子さんってばぁ！」

ついに大声で名前まで呼ばれて、芭子はもう、立ち止まらないわけにいかなかった。振り返ると、意外なほど近くに、自転車にまたがったままの高木がいた。その姿が、もうすぐぼやけてきそうだ。だが、意地でも涙なんかこぼすまいと自分に言い聞かせながら、必死で睨《にら》みつけていると、高木は、今度は明らかにぎょっとした顔つきに変わった。

「あの──本当に、すんません」

何か話そうとすると、声が震えそうだった。仕方がないから、ただ深呼吸を繰り返す。すると、高木は慌《あわ》てた様子で自転車から降り、先生に叱《しか》られた子どものような顔つきで、そろ、そろ、と近づいてきた。

「自分はただ、そのぉ、自転車のこととかも気になってて。それで、あのぉ、芭子さんはお嬢さんだっていうのに、贅沢もしなくて、偉いなあとか、思ってて——」

ごくん、と涙を飲み込んだ。大丈夫。こんな男の前で、弱みを見せずにすんだ。

「そういうとこが、いいなあって。本当、前からそういうこと、一度——」

「——自転車が見つかったら、連絡してください。失礼します」

やっとの思いでそれだけ言うと、今度こそ芭子は大急ぎで歩き始めた。さすがに、もう高木の声は追いかけてこなかった。

もう。最低！

どうしてはっきりと「つきまとうな」と言えなかったのかと思うと今度は悔しさがこみ上げてくる。だが、それが言えたら苦労はしない。もともと、そういうことの言える性格ではないし、第一、相手は警察官ときている。芭子にとっては、ほとんど鬼門のようなものだ。

いくら、今は疚《やま》しいことなど何もない、ごく普通に善良な一市民として静かに暮らしているだけだから、何も恐れることはないと言われたとしたって、無理な相談だった。あの制服というか、警察官という職業そのものにアレルギーがあるのだ。どうしても拒絶反応が起きる。その感覚は、ほとんど骨の髄まで染《し》み込んでいると言ってよかった。

何しろ、こちらは前科《マエ》持ちときている。七年間、きっちり栃木の刑務所で勤め上げてきた身だ。ちょっとしたことで前歴でも照会されて、そのことがバレてしまったら、すべては破滅だった。今でこそ、人をお嬢さん呼ばわりしてつきまとっている高木などの一番に顔色を変えるに決まっているし、おそらく、野良犬《のらいぬ》でも見るような目つきに変わることだろう。さらに、あの軽薄そのものに見える男のことだ、瞬《また》く間に辺り構わず喋《しゃべ》って回るに決まっている。そんなことにでもなれば、多分この町にだって、いられなくなるに違いなかった。だからこそ芭子は、ひたすら目立たないように、おとなしく暮らしていこうと日々、自分に言い聞かせていた。たまたま祖母の家が遺《のこ》されていた、この町以外には、行くべき場所も頼る相手もいないのだ。

アルバイト先に着く頃には息も弾み、うっすら汗までかいていた。芭子が働いている「オレンジ治療院」は、自宅から歩いてもさほど遠い距離にあるわけではない。それでも自転車がなければ不便には違いなく、その上に今日は、何とも不快で面倒な時間を費やさなければならなかった。路地を一本曲がり、ああ、やっと着いたと思った次の瞬間、ところが芭子は、ほうっと息をつく代わりに、さらに緊張しなければならなかった。今日に限ってもう治療院の看板が外に出ているではないか。つまり、院長の今枝《いまえだ》が来ている証拠だった。いつもは芭子が一人で開院の準備をするのに。

「おはよう、ございます」

ドアを開けて中を覗き込みながら、まだ薄暗いままの静まりかえった空間に向かって、そっと言った。

「あの――遅くなってすみません」

普段は芭子が座っている受付カウンターの向こう側から、今枝の声が「ああ」と応《こた》えた。まだ五十そこそこだと思うが、既に生え際《ぎわ》が相当に後退して、頭頂部も薄くなり始めている。見ると、その頭だけが、天井のダウンライトに照らされていた。

「急いで、あの、準備しますので」

もう一度声をかけると、その頭がようやく動いて今枝の顔が見えた。下がり眉《まゆ》に細い目。そのまま、ちらりと壁の時計を見上げて、さらに糸のように目を細める。

「まだ、そんなに慌てるような時間でもないじゃない。八分前だ。それより、小森谷さん。ちょっといいかな」

院長に手招きをされて、芭子は慌てて靴を脱ぎ、まだわずかに息を弾ませたままカウンターの後ろに回り込んだ。

「今、カルテを見せてもらってたんだけどねえ」

「あ――はい」

「アレじゃない。なかなか、よく整理出来てるじゃない」

「あ――ありがとうございます」

「パソコンは苦手なんて言ってたけど、覚えたら早いな。もう結構、上達したんじゃないの」

院長は細い目でこちらを見上げる。その目尻《めじり》に、ほんのわずかに笑い皺《じわ》が寄った。芭子はつい嬉《うれ》しくなって「おかげさまで」と、こちらも頬をゆるめた。さっきまでの不愉快な気持ちが、いっぺんで消えていくようだ。院長は、うん、うん、というように頷《うなず》いていたが、次の瞬間、すうっと手を伸ばしてきて、当たり前のように芭子の額の髪をなでつけた。

「何だい、汗までかいて」

瞬間、背骨のあたりがびくん、と弾みそうになった。芭子は硬直したままで、ただ黙って院長が開いていたノートパソコンを見ていた。何、これ。一瞬の沈黙。親切？　親愛の表現？　だが、何だか嫌な雰囲気だ。すぐに動き出した方がいい、この場から離れるべきだと、芭子の本能が伝えている。

「ねえ、小森谷さん」

「──あ、はい」

「君さあ、つきあってる人とか、いないの」

「──いいえ」

「本当に？　確か、バツイチだったよねえ」

「──はい」

「じゃあ、ダンナと別れたっきりなわけ？」

「──」

「ねえ。僕が一度、診《み》てあげようか」

「え──」

「ホルモンのバランスとかさ、大丈夫かなと思ってね」

「ホルモン、ですか」

「女の身体はねえ、微妙なもんなんだ。ものすごーく、デリケート、ね？」

さらに院長の手が、今度は芭子の髪の全体を撫《な》で始めた。額の脇《わき》から、肩にかかった部分まで。芭子は、今度は思わず一歩後ずさりをした。すると、院長のにやにや笑いがさらに大きくなった。

「女性ホルモンが正常に分泌《ぶんぴつ》されるためにはねえ、男が必要なものなんだ。それが自然の摂理なの。ねえ？　早いうちに手を打たないとさあ、この先何かとトラブルが起こってくるよ」

「――そういうことは」

「そういうことは、自分じゃあ分からないもんだからねえ。特に、最初から男なんか知らないっていうんなら別だけど、君、一度は結婚してたわけだろう？」

「え――でも」

「僕に任せてもらえれば、もう、一発で潤《うるお》うんだがなあ。ほら、前にも風邪を診てあげたじゃない。ほら、この、胸の谷間をさ――」

「あの――もう開ける時間ですから」

ほとんど飛びあがらんばかりに院長から離れると、芭子は治療院のドアを大きく開いて外に飛び出した。一瞬にして凍りつくかと思った心臓が、今は早鐘のように打っている。だが、ここで下手に騒いだりしたら、もしかすると、またどこかからあの馬《ば》鹿《か》警察官が飛んでくるかも知れなかった。あんな男が加わったら、話はもっと厄介になる。

とにかく、落ち着こう。院長が出かけちゃうまでは、中に入らないようにして。

ほんの一瞬だけ、ささやかな幸せを感じたと思ったのに。その後の展開が、あまりにも悲惨すぎる。箒《ほうき》を持って店の前を掃く間も、芭子は背後から粘り着くような視線を感じていた。

2

「それ、セクハラだよ！　明らかなセクハラじゃんっ」

その晩、綾香との夕食の際に今朝の出来事を報告すると、高木巡査の話ではくすくす笑っていた綾香が、今枝院長の話をした途端に顔色を変えた。

「それで、芭子ちゃん、あんた大丈夫だったの？　それ以上に、どっか触られたりしたんじゃないだろうね」

「今日に限って、すぐにお客さんが来てくれたし、院長は、他の店を回らなきゃならないから、取りあえずは大丈夫だったけど――でも、本当に怖かった」

「何て男なんだっ！　冗談じゃないっ！　許せないね、何、考えてるんだっていうの、あのハゲ！」

一度は同居も考えたが、お互いの距離を一定に保ち続けていた方がいいだろうといろうことになって、結局、綾香は今もアパート暮らしを続けている。だが、このところ前にも増して頻繁に、綾香と芭子とは一緒に食事をとっていた。綾香は綾香で、現在のところ超緊縮財政のまっただ中だし、芭子だって、新しい自転車を買う費用を捻出《ねんしゅつ》しなければならない。とにかく低予算で済ませるためには、自宅で、しかも一緒に食べるのが一番だという結論に達したからだ。もともと週に二回は綾香の方が芭子の家に来るのがパターンだったから、その数がもう一、二度増えたという程度のことだったが、ただし、綾香が大好きな発泡酒も週に一度に減らして、その代わりに焼酎《しょうちゅう》のお湯割りを家にある一番大きなグラスで一杯だけという取り決めをした。それでも綾香は「ありがたや」と嬉しそうに笑っている。こんな調子だから、今のところ二人にとっての最大の贅沢《ぜいたく》は、月に二、三度ばかり、息抜きのために外食をすることだった。

きっと自分たちは貧乏なのだと思う。世間一般から見たら、かなり惨《みじ》めな暮らしぶりかも知れない。でも、意外につらいとは思わなかった。ささやかで、つましい日々も、それなりに工夫が生まれて楽しいものだ。綾香がいてくれるから、そう思える。独りではないからだ。

「ああ、憂鬱《ゆううつ》。明日だって、明後日だって、また似たようなこと言われる可能性、あるよねえ」

「似たようなことっていうより、それ、絶対にエスカレートするって」

箸《はし》を宙に浮かせたまま、綾香は丸い顔の中の小さな目を精一杯に見開いている。その唇の脇に、ご飯粒が一つついていた。芭子は思わず笑ってしまいながら「ついてるよ」と教えてやった。いくら真剣なことを言っていても、どこかちぐはぐで格好がつかないのが、この江口《えぐち》綾香という人の一番の特徴だと思う。

「笑ってる場合じゃないって。駄目だよ、芭子ちゃん。はっきりと拒絶しなきゃ。やめてくださいって言うの！」

自分の口のあたりを指先で探り、とれたご飯粒を口に運びながら、綾香は、一応は厳しい表情を作っているつもりらしい。

「芭子ちゃんがおとなしくて、我慢しちゃうタイプだって分かってるから、図に乗ってるんだからさ」

「でも、拒絶なんかしたら、私、バイトに行きにくくなるし――」

春キャベツとスパムの炒《いた》め物に箸を伸ばしながら、芭子は小さくため息をついた。即座に綾香の「そんなの」という語気の荒い声がため息をかき消す。

「駄目だってば。いい？　芭子ちゃん。セクハラとか暴力っていうのはねえ、こっちが我慢すれば我慢するほど、絶対にエスカレートするものなの。分かる？」

その言葉には、独特の重みがある。何しろ、経験者がそう言うのだ。綾香は過去に十年間も、夫の暴力に耐えてきた経験の持ち主だった。後から考えれば、そこまで我慢する必要など、どこにもなかったではないかという気になるのだが、当時、綾香は夫を愛していると信じていたし、また夫の暴力についても、自分の方に非があるのだと思いこんでいたらしい。

「我慢すればするほど、こっちだって追いつめられていくから。絶対に、いいことなんか何もないんだよ」

「――経験から？」

一瞬のためらいがないでもなかったが、思い切って聞いてみた。綾香はがんもどきの煮付けを目一杯に頬張ったまま、真顔で「そうそう」と頷く。その口の端から煮汁がはみ出してこぼれた。芭子は、つい吹き出して笑ってしまった。

「何だっつうのよ、この子は。人が真剣に話してるのに」

「だって、真剣っていう顔じゃないんだもの。綾さんの顔って、マンボウみたい」

「あんたねえ、ちょっと、芭子ちゃん。言うに事欠いてマンボウって何よ。そんなことより、いい？　嫌なものなんだからね、本当に」

「何が？」

「決まってんでしょ。この手で人を殺《や》るってことが」

「また、綾さんてば！」

　笑いが凍りついた。まったく。何度注意しても、綾香にはこういうところがある。いくら二人だけとはいえ、明け透けすぎるのだ。こんな下町の、隣の家と軒先がくっつき合っているような界隈《かいわい》では、どこで誰が聞いているか分からないというのに、ちょっと気を抜くとすぐに「ムショ」とか「仮《かり》シャク」とか、そういう類《たぐい》の言葉が会話の中に出てきてしまう。

「とにかくね、そこまで大げさじゃないにしろ、だんだんに追いつめられたら、こっちだって、しなくてもいいような反撃に出なきゃならなくなるんだから」

　ごくん、と口の中のものを飲み込んで、綾香は涼しい顔で言葉を続ける。

「第一、芭子ちゃんさあ、何もあんなバイトにこだわる必要なんか、どこにもないじゃないよ。大した時給だって、もらってやしないんだし、この先どれだけ続けてたって、どうなるものでもないんだよ」

「――それは、そうなんだけど」

「もう、そろそろいいんじゃないの？」

「何が？」

「リハビリ終了ってことで。今度の春が来たら、二年になるんだから」
そう。今度の四月が来たら、芭子はこの町に暮らし始めて丸二年を迎えることにな
る。それは、とりもなおさず芭子が新しい人生を歩み始めてからの年月でもあった。
「でも——本当の意味では、あそこにいたのと同じ時間が必要なんじゃないかと思う
んだよね」
この町に来る前の七年間を思って、芭子は自分でも遠い目になるのが分かった。忘れようとして忘れられるものではない月日。それまでの人生のすべてを失い、絆《きずな》を断ち切り、物事に対する価値観まで変えざるを得なかった年月。季節がどう変わり、何度、髪を切っても、まるで変わらない生活というものがあるということを、芭子はあの七年の間に学んだ。というよりも、身体《からだ》で覚え込まされた。それが、刑務所での暮らしだった。今でも芭子は、当時の暮らしが身体のあちこちに染《し》みついていると、ことあるごとに感じている。だからこそ、すべてを忘れ去って、本当に何もかもから解き放たれるためには、入っていたのと同じだけの年月がかかるのではないかという気がする。
「何、言ってんのよ。だったら七年間？　芭子ちゃん、あと五年も今みたいな状態で、こそこそと、半分引きこもりみたいに暮らすわけ？　あんた、いくつになっちゃうと

思ってんのよ」

「――三十五かぁ――もう完璧《かんぺき》、あとがないよね」

「あ、そういう言い方。ピーッ」

綾香が笛を吹く真似《まね》をしたので、芭子は慌《あわ》てて「ごめん」と肩をすくめた。そういえば綾香は芭子よりも一回り年上だった。つまり、もう四十二になっている。だが、そんなことはつい忘れてしまうほど、彼女は気が若いというか、エネルギッシュだった。顔つきだって、知り合った当時よりも今の方が、かえって若く見えるくらいだと思う。それにしても、妙な話だ。人に聞かれて困るようなムショ話は平気で口にするくせに、歳《とし》の話の時には、笛を吹くなんて。

「だけど、まあね、気持ちは分かる。大体さあ、あんた、二十代の大半をムショに捧《ささ》げて――」

「あ、また、ピーッ！　だから、綾さんってば！」

「大丈夫だってば、雨戸だって閉めてるんだし。そんで、じゃあ、今度は三十代の大半を、リハビリして過ごすわけ？　こっそり？　人生で一番キラキラしてる時期を？　いくら何でもさあ、そんなの、ちょっと酷なんじゃないのかなあ」

「だって――」

「何度も言うけどねえ、私ら二人とも、もう罪は償ったの。きっちり。そりゃあ、道義的っていうか、そういうものは残るのかも知れないけど、それはここ、ここの問題。それぞれがずっと抱えて持っていけばいいんじゃないの？」

綾香は、自分の胸のあたりをトントンと叩《たた》いて見せる。それは、理屈では芭子だって分かっているのだ。だが何かにつけ刑務所での日々を思い出す毎日が続いている以上は、そう簡単にはすべてを過去に押し流すことなど不可能ではないかと、どうしても思ってしまう。いや、刑務所での日々だけではない。実は、そこへ至るまでの日々についてだって、芭子は今でも思い出さない日はなかった。時には日に何度となく思い出しては、苦々しい思いにとらわれたり、自分を責めたり、また悲しくなったりしているのだ。

あんなに好きだった彼は、今はどこでどんなふうになっているのだろうとか、毎晩のように通い続けていた新宿の歌舞伎町《かぶきちよう》界隈は、どんな様子なのだろうとか、何よりも、芭子がこういう事態を引き起こした途端、有無を言わさず絶縁を切り出し、やっと仮釈放の話が出たときにも、身柄の引き受けをあくまでも拒絶し、結局、今に至るまで電話の一本かけることさえ許してくれない両親や弟は、今頃はどうしているのだろうか、とか——。学生時代の友だちのこと。可愛《かわい》がっていたゴールデンレトリバーのメルクルのこと。幼い頃に買ってもらったスヌーピーのぬいぐるみのこと。デビューシングルの『Can't Stop!! ――Loving――』からすべて持っていたSMAPのCDのこと――粉々に砕けたガラスの破片のように、ことあるごとにそういったことが蘇《よみがえ》ってきてしまう。

「とにかく、もうそろそろ真剣に考えた方がいいよ。手に職をつけるなり、自分らしい仕事を探すなり。芭子ちゃんの場合はさあ、いざとなったら働かなくても暮らしていかれるだけの余裕はあるんだから」

「だけど、使えば減っていくし」

「多少はしょうがないって。それも自分への投資だと思うしか。第一、一生何もしないで生きていけるっていうほどの額でもないんでしょう？」

「もちろん。一生なんか、暮らしていけるわけない」

「だったら、チマチマ目減りすることを心配するより、それを利用して、芭子ちゃん自身の身につく財産を作り出すことを考えなきゃ。これから先は、とにかく他人様《ひとさま》に迷惑をかけないで、正々堂々と生きていかなきゃならないんだから」

「――それは、そうだと思うけど」

「とにかくね、そんなセクハラオヤジのところにいる理由なんて、ひとつもない。いくら勤めてたって、べつにマッサージ師の資格が取れるわけでもなけりゃ、何かの技術が身につくわけでも、何でもないんだから」

確かに、それはその通りなのだ。「オレンジ治療院」は、治療院とはいっても、その実はマッサージチェアや低周波治療器などの機械を使って患者のコリや痛みを緩和するという程度の、いわば治療器メーカーのアンテナショップのようなところだった。院長の今枝は、マッサージ師の資格は持っているが、自ら患者に触れて治療するのは週に一度程度のことで、しかも予約のある場合に限られている。彼は他にも似たような店舗をいくつか持っていて、それらをぐるぐると回っているだけという印象の、要するに単なる商売人にしか見えなかった。そういう治療院に、ただの受付として時給で雇われている芭子は、たとえ何カ月、何年が経過しても、何一つ身につけることなど出来るはずもないのだ。

「それとも、アレ？　芭子ちゃんも、満更《まんざら》でもない、とか？」

思わずむせ返りそうになった。芭子は、急いでほうじ茶を飲んでから、澄ました顔でこちらを見ている綾香を睨《にら》みつけた。

「何だって私が、あんなオヤジにセクハラされて満更でもないと思わなきゃならないのっ」

「だって、所詮《しょせん》は男と女のことだから。他人にはうかがい知れない、何ていうのかねえ、『心の闇《やみ》』みたいな、さあ。そういうのが、あるかも知れないじゃん」

「信じられない！　綾さんて、私をそんな目で見てたわけっ」

本気で腹が立ってきた。だが綾香は「まあまあ」となだめる表情で目を細めるばかりだ。

「芭子ちゃんがそんなだなんて、本気で思ってやしないって。ただ、人間がいかに分からないもんかっていうことは、私だけじゃなくて、芭子ちゃんだって分かってるはずだし、見かけによらないっていうか、そういう男と女のことで失敗した女だって、私ら山ほど見てきてるわけじゃない？　何だっけ、あの、ほら」

綾香は「ほら、ほら」を連発しながら、ある一人の女性受刑者の話を始めた。鼻筋の通った美人で、日本語と同じくらい流暢《りゅうちょう》に、英語とフランス語も話せるという大変な才媛《さいえん》だという話だったが、親子ほど歳の違う愛人にそそのかされて、勤務先から億単位の横領を働いたという話だった。ただでさえ刑務所というところは「高学歴」とか「美人」とか、人よりもいい意味で目立つ受刑者が、いじめや嫌がらせの標的にされることが多い。極端な言い方をすれば、ブスで下品で恥知らずな方が、その場にどっかり腰を据えて幅をきかせたりする世界だ。

「ボブカットみたいにしてた人でしょう？　きれいな。あの人はねえ――ええと、山《やま》根《ね》さん。山根智代《ともよ》かな」

最初は唇を尖《とが》らせて膨れっ面《つら》を作っていたが、芭子も彼女のことを思い出して「なるほど」と思った。まさか彼女が自分たちと同じ刑務所に収監されてくるとは思わなかったから、事件が発覚した当時、芭子たちは週刊誌などで彼女の写真も、また同時に、彼女を利用したとされる六十代の愛人の顔写真も見て知っていた。何をしている男だったかは忘れたが、爬虫類《はちゅうるい》のような、ひどく嫌らしい目つきの、どう見てもまともな生き方をしてきたとは思えない顔をしていたことだけは、よく覚えている。

――よっぽど、あっちがいいんじゃないの。

受刑者の中には、あからさまにそういう言い方をする者もいた。

――まず、身体が離れられないようになってるんだよ。こういう男とどうにかなる女っていうのはさ。

女ばかりの集団は、何かというと性的な話題を持ち出す者が少なくなくて、自分の話ばかりでなく、他人の性生活のことなどでも、面白おかしく話したがるのが常だった。そんなところで暮らしていれば、嫌でも耳年増《みみどしま》になるというものだ。芭子だって、入った当初は分からなかった隠語などについて、ずい分と詳しくなってしまった。ついでに言えば、そういう言葉を平気で口にすること自体、無神経になってしまっているのではないかと、密《ひそ》かに怯《おび》えている部分もある。よほど気をつけていなければ、治療院に来る高齢者などの前で、うっかり口を滑らせては大変だと、いつも自分に言い聞かせているくらいだ。

「あの人なんか、いい例じゃん。外見は、いかにも清潔そうで、男なんて簡単に寄せ付けないように見えてたけど、結局は、みんなが色々と噂《うわさ》してたのと、そう違わなかったわけだからね。ムショに入ってからだって、すぐにタチ役のタケルと、どうにかなったし」

「ああ、タケルねえ――そういえば、そうだったよね」

タケルというのは本名ではない。正真正銘の女性だったが、いわゆる性同一性障害だったのかも知れない、歩き方から喋《しゃべ》り口調まで、すべてが男そのものという雰囲気の人だった。確か、麻薬の売買か何かで捕まったのだと思うが、その彼女が山根という才媛のボブカットを気に入って、年齢はタケルの方がずっと若かったが、運動の時間などでも常に二人でべったりとくっつき合っていたのを、芭子もよく覚えている。

「確かに、ああいう人がいるのは分かってるけど――でも、私は違うんだからっ」

「分かってるって。第一、あんなオヤジに比べたら、まだ高木クンの方が、ずっといいもんねえ」

　綾香はにやにやと笑いながら「聖大クンの方が」と繰り返した。芭子は思わず「やめてよ」と顔をしかめた。

「何が『クン』よ、あんなヤツ。無神経で、必要以上に馬鹿《ばか》陽気で、人のことを根掘り葉掘り嗅《か》ぎ回って」

「いいじゃあん、芭子ちゃん、モテモテで」

「やめてったら——ああ、もうっ。右を向いても、左を見ても。どうして、こうなの？」

「そりゃあ、やっぱり、放っておけない雰囲気があるからじゃないの」

「放っておいてほしいの！　私のことは、そっとしておいてほしいのにっ」

　とにかく今度の給料日までは我慢して、あとはきっぱり「オレンジ治療院」を辞めた方がいい、ということで話がまとまった。

「ただし、それまで相手が手出しをしなかったらっていう条件でだよ。もう一回でも、今枝が何かしてきたら、そのときは、きっぱり辞めなきゃ」

　こういう時の綾香は、さすがに頼りになった。芭子は「うん」と素直に頷《うなず》いて、それからふう、と息を吐き出した。辞めるのは、かまわない。未練だってあるわけではない。ただ、その先どうするか、だ。

「私、これから何をすればいいんだろう」

つい、宙を見上げて呟《つぶや》いたときだった。突然、綾香が「分かった！」と大きな声を上げた。飛び上がるほど驚いて、芭子は思わず目をみはった。

「——なあに」

「芭子ちゃんさあ、いっそ、歌手にならない？」

「——いきなり、何言い出すのよ」

呆《あき》れてものが言えなかった。だが、何を血迷っているのだと言いかけた芭子を制して、綾香は口元に不気味な笑みを浮かべ、ぐっと身を乗り出してきた。

「だって、芭子ちゃん、歌うまいじゃない。歌うのだって嫌いじゃないでしょう？　それに、今も言った通り、芭子ちゃんには独特の魅力があるんだよ。男がついつい、放っておけなくなるような！」

「そんなわけないじゃない」

「何で？」

「だって、それなら——九年前、あんなことにはならなかったもん」

大好きなホストに振り向いてもらいたい、自分のことだけを見ていてもらいたい一心で、さんざん貢《みつ》いで、ついには家族からだけでは足りずに、赤の他人の金品を奪うことまで考えつくほど追いつめられたのは、ひたすら芭子が愚かだったからに他ならない。だが、もしもあのとき、一人でも芭子に想《おも》いを寄せてくれる人がいたら、あんなことにはならなかった。ごく普通の大学生とかサラリーマンとか、身の丈に合った人と出会ってさえいれば。そう思うのだ。だが、当時の芭子に好意を抱いたり、気持ちを打ち明けてくれるような人は、ただの一人もいなかった。誰からも「付き合おう」とか「好きだ」などと言ってもらったことなどなかった。そんなことは、これまで綾香にだって、さんざん聞かせてきた話だった。

「分かった。要するに、大人の女になって、だ。さらに、ムショに入って女が磨かれたんじゃないのかね」

「馬鹿なこと言わないでっ。あんなところで女が磨かれるわけ、ないじゃない！」

「でもさ、色んな女を見たことは確かだし。自分が経験しなかったとしても、女の生き方ってものは、結構、学んだわけだしさ。それが、芭子ちゃんの魅力になってたりして」

「じゃあ、じゃあ、百歩譲って、千歩譲って、そうだったとしてね。でも、だからって、歌手になんかなれるわけ、ないじゃないよ。大体、前科《マエ》持ちの三十女が――」

「ノーノーノー！ べつに、アイドルになれなんて言ってやしないって。いくら私だってさ、そこまで厚かましいこと、考えたりはしないの。いい？ 芭子ちゃん。よぉっくお聞き」

綾香はテーブルに箸《はし》を置き、急に居住まいを正すと、さらに一つ咳払《せきばら》いをした上で、芭子に向かって身を乗り出してきた。

「世の中にはねえ、氷川《ひかわ》きよしみたいにテレビにでもコマーシャルにでも出て、バンバン歌って、派手にスポットライトを浴びる歌手ばっかりじゃないの。もう、ただただ歌が好きでね、ひたすら人の心に染《し》み入る曲を歌いたい一心で、そりゃあもう苦労しながらも、地味ぃにさ、コツコツと歌い続けてる、そういう人がさあ、一杯いるわけよ」

「――どうして氷川きよしが出てくるの」

「だから、たとえばの話。ねえ、分かる？ 五木ひろしだって、鳥羽《とば》一郎だって、吉幾三《よしいくぞう》だってさ、そりゃあ下積み時代はあったかも知れないけど、今は全国区でしょうよ。でもねえ、そんな人たちばっかりじゃないわけ、ねえ？ 聴く人の心を震わすような歌を歌ってたとしても――」

「だから、どうして男の歌手ばっかりなの。しかも演歌で」

「だって、そりゃあ、あんた――」

「ちょっと。綾さん」

やたらと目を輝かせて、張り切った表情の綾香を見据えて、今度は芭子の方が背筋を伸ばす番だった。

「何、考えてるの」

「え――」

それまで前のめりになっていた綾香が、急にびっくりしたような顔になった。芭子は、綾香の真似《まね》をするように、今度は自分が顎《あご》を突き出して綾香の顔を覗《のぞ》き込んだ。するとと、綾香はさらにハトが豆鉄砲でも食らったような顔つきになる。

「ふうん。私が、演歌ねえ」

「そうよ、そう！　日本人なら演歌でしょう、やっぱり」

「地味な、ねえ」

「だって、そりゃあさ――」

「演歌なら演歌で、それはいいとして。私を歌手にしたいっていうんなら、せめて、女の歌手を引き合いに出すべきじゃないの？　藤あや子とか、天童よしみとか。それが、どうして男の歌手なわけ？」

すると綾香は、急に顎を引いて上目遣いになり、それから突然「うははは」と歯をむき出しにして笑い始めた。

3

綾香が突然「歌手になれ」などと言い出した理由は、実に単純なものだった。要するに最近、綾香自身が、ある演歌歌手に熱を上げていただけのことだ。その歌手のことが頭から離れなかったものだから、何とかして少しでも近づく方法はないものかと考えて、それならば芭子が同じ業界にでも入ってくれればと思いついたらしい。

「そうしたらさ、私、マネージャーにでも付き人にでもなってさあ」

「何よ、それ。じゃあ、単に私を利用しようとしただけじゃない」

「もっちろん、冗談でだよ。大体さあ、芭子ちゃんだって、私がいくらそう言ったからって、おいそれと歌手になんかなれると思ってるわけじゃあ、ないでしょう?」

「当たり前でしょ。自分の身の程くらい、分かってるもん」

「そりゃ、そうだよねえ。いくら何でもマエ持ちってバレたら、スキャンダルどころの騒ぎじゃ済まないもんねえ」

「その上マネージャーのことまでバレてごらんなさいよ、もう、騒がれるとか、そんなレベルの話じゃなくなる」

「だぁねえ。ムジョ帰りコンビなんてねえ」

芭子たちは互いに軽くにらみ合い、それからつい笑ってしまった。こんな冗談を言い合えるのは、地球上で綾香だけだ。普段は絶対に禁句にしていることを、たまにはっきり言葉に出すと、妙に気分がすっきりする。そうよ、マエ持ちで悪かったわねと、どこか開き直った気分を一瞬でも味わえる。

「ま、それはそれとしてね。それでさあ、聞きなさいよ」

ひと通り笑った後、ところが綾香は急に真顔になった。実は、彼女が働いている製パン店の仕事場では、いつも「FMやねせん」という、いわゆるコミュニティ放送を流しているというのだが、そのラジオから、ある日突然、歌声が流れてきて、要するに綾香は「ひと耳惚《ぼ》れ」したというのだ。

「何よ、それ。今度はひと耳惚れ?」

「だって、もう、さあ。何ていうの?　深ぁい森の、緑がすごく綺麗《きれい》なね、そういう木のざわめきみたいっていうかなあ。山奥から湧《わ》き出る泉の、これ以上ないっていうくらいに透明なせせらぎみたいな、っていうかね。高い高い青空を流れていく、真っ白な雲みたいな。要するに、そういう声なんだよねえ」

最初、綾香がいかにもうっとりとした表情でそんなことを言い出したとき、芭子はあまりに呆れて、笑い飛ばすことさえ忘れたくらいだ。一体いつの間に、綾香にそんな詩心が生まれたのかと思った。

「――どうしちゃったの、綾さん」

「心が震えるような経験をすると、人間はみんな、詩人になるわけよ。分かる?」

綾香は胸の前で両手を組み合わせるようにして、うっとりした口調でそうも言った。

文京区と台東区にまたがる谷中《やなか》・根津《ねづ》・千駄木《せんだぎ》界隈《かいわい》は、今も独特の江戸情緒を残した下町として人気が高い。それぞれの頭をとった「やねせん」という呼び方も、最近では大分ポピュラーなものとして浸透しているが、「FMやねせん」というラジオ局は、主に芭子たちが暮らすその界隈を中心に流されている、ミニFM局だった。とはいうものの、芭子自身は、まだ一度もその放送を聴いたことがない。アルバイト先では常にテレビをつけているし、自宅でもラジオを聴く習慣がないから、要するに縁がないのだ。だが綾香の方は、毎朝五時に出勤して、せっせとパンを焼く準備をしながら、いつでもそのラジオを聴いているらしかった。

地域密着型のラジオ局だけに、相当に細かい情報や話題を取り上げるという意味では、ミニFM局は、要するに公共井戸端会議のような意味合いも持っているらしい。

そういえば綾香は、よみせ通りの何とかいう店で安売りをするとか、根津裏門坂を本郷通りの方に行く途中に新しい雑貨屋が出来て、可愛《かわい》い小物が揃《そろ》っているそうだとか、時々、驚くほど細かい情報を持ってくる。さらに、この界隈の歴史に触れるようなことも言い出すのは、すべて「FMやねせん」からの受け売りらしかった。

「アレが、雷に打たれるようなショックっていうヤツかねえ。私、思わず粉を篩《ふる》う手が止まっちゃったもんね」

「分かった分かった。それで、何ていう人」

「お名前？　あの方の？　そんなに聞きたい？」

「いいから早く。教えてよ」

綾香は「ぐはははは」と歯をむき出して笑い、それからもう一度咳払いまでした上で、その歌手の名を言った。

「あのね、高見沢《たかみざわ》漣《れん》さま」

「さま？」

「そう、漣さま」

「――曲は？」

「いい？　これから言うから、ようっく覚えといてよ。『谷中さか道・恋ごよみ』！　ああ、タイトル言っただけで漣さまの声が、蘇《よみがえ》ってくる！」

「──谷中が出てくるんだ。それでFMで流れたりするのね。要するに、ご当地ソングみたいなもの？」

すると綾香は「ソングなんて」と眦《まなじり》を決して、「演歌よ、演歌」と芭子に訂正を迫った。

「私もさあ、伊達《だて》に苦労してきたわけじゃないっていうか、大人になったんだなあと、つくづく思うわ。やっぱり演歌が心に染みるもんねえ。日本人なら演歌だよ、ねえ、芭子ちゃん、分かる？　演歌！」

「──じゃあ、私はまだそこまで大人じゃないんでしょ」

「そこよ！　漣さまの歌声を聴いたら、ひと皮むけるかもよ。あんたの中で眠ってる、日本人のDNAが目覚めるかも！」

とにかく是非とも一度、その歌を聴いてみて欲しい、西日暮里《にしにっぽり》駅の近くにある、カラオケ教室もやっている「ポピー」という喫茶店に行けば店のウィンドウに「高見沢漣」のポスターも貼《は》られているし、CDも販売しているからと、綾香の熱意には並々ならぬものがあった。

さま、だって。売れない演歌歌手に。

翌日の朝、アルバイトに行く途中でも、芭子は綾香との会話を思い出して、つい一人で笑ってしまった。もしかすると、今日も例の警察官にどこかで待ち伏せされているのではないかという不安がないこともなかったのに、いつしかそんなことも忘れて、綾香の話ばかりを考えていた。何しろ綾香は気が多いというか、年がら年中、誰かを好きになってはキャアキャアと騒いでいなければ気が済まないようなところがある。それは前々から分かっていることだが、それにしても、どうしてラジオから流れる曲を聴いただけで、あんなにも盛り上がれるのだろうか。

うらやましい。

そういう単純さというか、無邪気さが、芭子にはどうもないらしい。そのくせ、一度好きになると、どうしてものめり込んでしまうのだ。明るく楽しい恋愛とはほど遠い、苦しくて出口が見えなくて、重たい恋愛になってしまう。相手が本気かどうかも見極められずに、一人で勝手に泥沼にはまってしまう。芭子だって本当は、一度でいいから、青春ドラマのような恋をしてみたかった。みんなに祝福され、隠し事もなく、喧嘩《けんか》をしても次の日には仲直りをするような、そんな恋に憧《あこが》れていた。けれど、もう駄目かも知れないと思う。いや、きっと駄目だ。三十にもなって、青春ドラマもへったくれもあったものではないし。第一、マエ持ちの女に明るい恋愛なんて、分不相応にもほどがある。

昨日は早くから来ていた今枝も、さすがに二日続けて馬鹿《ばか》な真似をするつもりはないのか、治療院は施錠《せじょう》されたままの状態だった。芭子はほっと胸を撫《な》で下ろし、一人で淡々と開院の準備をした。出勤したら、まず今枝に治療院の電話から連絡を入れるのが、タイムカード代わりの決まりだ。あくまでも事務的に話すことと何度も自分に言い聞かせて、緊張して電話をすると、先方は留守番電話にしてあった。芭子は「定時に開院します」とだけメッセージを残した。要は、治療院からの電話の着信履歴と、その時間さえ分かれば問題はない。こんな風に、顔を合わせずに済む日が続けば、それで何の問題もないはずなのに。転職など、考えずに済むのに。

でも、辞める。終わりにする。

そのことは綾香とも約束したのだし、芭子自身も決心した。ただ、問題はその先だ。ここを辞めて、その後は一体、何をすればいいのだろうか。

私に出来ること。私がしたいこと。

果たして、そういうことがあるのかどうかも、まるで分からなかった。

開院時間になると、一応は治療院のスタッフらしく、普段着の上から白衣を羽織って、受付カウンターの内側に腰掛け、芭子はいよいよ真剣に考え始めた。

私のこれから。これからの、私。

来年の私。再来年の私。十年後の私——。

しばらくの間ぼんやりと考えていたが、それから大した時間もたたない間に、芭子は、頭を殴られたような衝撃を感じた。まるで、分からないのだ。先の自分が見えてこないというだけでなく、自分の未来に思いを馳《は》せる、その方法そのものが、まったく分からない。夢を思い描く方法を忘れてしまった。たとえば誰かと笑っている自分、幸福に包まれている、または華やかさをまとう自分——そういった情景が、まるで浮かんでこない。ただ虚《うつ》ろな、白々とした空間ばかりが広がっている様子しか思い描くことが出来ない。

私には、未来は見えないんだ。

愕然《がくぜん》となった。これこそが、報いを受けるということなのだろうか。本当の意味での報いとは、もしかすると、こういうことなのか。

息苦しい。視点を定めることが難しい。そうか、これこそが——という思いが、頭の中をぐるぐると駆けめぐった。出所して以来、今日までの日々だって、ひと言で言えば苦しかったと思う。いくら綾香がいてくれたって、失ったすべての代わりになるわけではない。基本的には、孤独だったたし、怖かったたし、過去への執着や、悔恨や、そんなものばかりだった。だが、やがては時が解決してくれる。時間さえ過ぎていけば、それで穏やかさが取り戻せる。そんな風に思っていた。ところがどうだ。未来がまるで見えないとは。見る能力さえ失っているとは。

こんなことって、あるんだろうか。

要するに、こんな自分が、たとえ職業だけにしろ夢を抱くこと自体が、身の程知らずということなのかも知れなかった。多少のセクハラになど目をつぶって、ここで息をひそめておとなしくしていくことが、やっと許される生き方なのかも知れないと考え始めたとき、ポケットの中で携帯電話が震えた。

「芭子ちゃん？　今、忙しい？」

相変わらず元気そうな綾香の声が、びんびんと鼓膜に響いてくる。芭子は「ううん」と低くうなるような声を出した。

「——まるっきり。まだ一人も来ないもん、患者さん」

「じゃあ、ちょうどよかった。あのねえ、聞いて聞いて！　私さあ、当分の間、芭子ちゃん家《ち》で晩ご飯、食べれそうになくなっちゃった。もちろん、休みの前とかは平気だけど」

「──なんで」

「店長がねえ、明日から発酵前の仕込み、やらせてくれるって」

「発酵前?」

「つまりさ、生地を寝かせて膨らませる前の仕込みね。この温度管理がさあ、すっごく微妙なんだよ。季節とか気温とか考えて、水の温度を毎日きっちり調整して、ベストの環境を作ってやらなきゃいけないのね。きっちり二十四・五℃になるようにね」

「──それで?」

「これをやるとなるとねえ、今までよりもっと早起きしなきゃならないんだ。三時半には店に出なきゃならないから」

「そんなに早く!」

誰もいないのをいいことに、思い切り大きな声を出してしまった。さして広くもない治療院だったが、ひっそりした中に、芭子自身の声が広がった。

「発酵の技術がマスター出来れば、職人として、すごい大きく前進なわけよ。私、頑張るからさ! 芭子ちゃんに、なるべく早く報告したくって電話しちゃった。ああ、それにね、お給料もほんのちょっとだけど、上げてもらえるみたいだから」

実際、綾香の声は弾んでいた。芭子に言えることは「よかったね」と「頑張ってけ情ない、悲しい気分になっていた。そして電話をポケットに戻す頃には、芭子はますます情けない、悲しい気分になっていた。

綾香は、どんどんと前に進んでいる。着実に自分の夢に向かって歩んでいる。このままでは、芭子一人が置いてけぼりを食ってしまうのは明らかだった。

だめだ。やっぱり何か考えなきゃ。

でも、何も見えてこないじゃない。

どうしよう。

どうしよう。

結局、その日は午前と午後に二人ずつしか患者が来ないという、恐ろしく暇な一日になった。だが、芭子はテレビを点《つ》けることもせず、インターネットで暇つぶしすることも忘れて、もやもやとした気分のまま、あれこれと考えを巡らせ続けた。翌日は金曜日ということもあってか、週末を前に少し忙しくなったが、そうはいっても元来が、患者が来る度に治療器のスイッチを入れたり切ったり、おしぼりやお茶を出し、最後に会計をする程度の仕事なのだから、たかが知れている。患者同士のお喋《しゃべ》りでも始まれば、芭子はまたカウンターの内側に戻って、ひたすら存在感を消しているだけの話だった。

「えらいわねえ、あそこん家《ち》のお嬢さん、何とかいう外国の資格を取ったって」

「あの、英語が得意とか言ってた子？」

「そうそう。小さいときから、英語の弁論大会だなんだって、出てたもんねえ」

「栴檀《せんだん》は双葉《ふたば》より芳《かんば》しだわねえ」

「まあ、鳶《とんび》が鷹《たか》だけど」

「そういえば、山岡さんとこの息子さん、今度、店を出したって。こないだ、道ばたで奥さんとばったり会ったらね、『ついでがあったら、一度でいいから覗《のぞ》いてやってくれないかしら』って言われちゃった」

「店って、何の？」

「何のって、ほら、あの子は美容師になったんじゃないの。親の反対押し切って。だから、美容室でしょう」

「ああ、そうか。中学まで柔道部で、えらいニキビ面《づら》のごつい体つきだったくせに、高校出る間際《まぎわ》になったら急に美容師になるとか言い出したって、あそこの奥さん、頭抱えてたんだっけ」

「でも、大したもんじゃないよ、自分の店持つなんてさ」

いつでも誰かの噂話《うわさばなし》にふけっている客の会話が、今日は馬鹿に耳につく。未来へ向かって歩んでいるらしい人たちの話を聞けば聞くほど、余計に自分が惨《みじ》めになった。

どうしたら見えるようになるんだろう。私は、何をすればいいんだろう。

週末の二日間も、芭子はどこへ出かけるあてもなく、ただぼんやりと過ごした。将来のことを考えなければ、これから先のことを考えなければと思えば思うほど、どういうわけだか過去のことばかり蘇る。

少なくとも、刑務所から出てから今日までのこの二年近く、芭子は、何よりも一人暮らしに慣れ、毎日を地道に暮らすことだけで精一杯だった。それは、間違いがない。未来への希望とか夢とか、そんなものは一切考えたことはない。考えるべきではないとも思っていたし、その余裕もありはしなかった。

それなら、刑務所にいた頃は、どうだったろう。時間がとまったような七年の間、芭子は「ここを出たら」と夢想することがあっただろうか。

覚えているようで、覚えていなかった。受刑者の中には、出所後の話ばかりをする女も少なくはなかった。待っていてくれる男がいるとか、今度こそ親孝行をするつもりだとか、あいつだけは許さないとか、ぶっ倒れるほどケーキを食べたいとか、やっぱりもう一度シャブを打ちたいとか、ありとあらゆる夢物語を口にしては、その日が来るのを待ちわびる女ばかりだった。だが、芭子には、そういうことは考えられなか

った と思う。

「何よ、あんた。惚《ほ》れた男に会いに行きたいとかさあ、いっそ復讐《ふくしゅう》してやりたいとか、何か、ないわけ?」

他の受刑者から、あきれ顔で言われたこともあった。家族に会いたいとか、家に帰りたいという思いはもちろん抱いていたけれど、それについてはとうに諦《あきら》めていた。何しろ、まだ刑が確定していない拘置所暮らしの頃から、何度、実家に「ごめんなさい」という手紙を出しても、返事の来た例《ため》しはついに一度としてなかったし、弁護士以外の面会人も皆無だったのだ。芭子の家族は完全に、芭子を切り捨てていた。

「じゃあさあ、今度こそいい男見つけて、幸せになりたいとかさあ。あるでしょうよ、それくらいは」

だが芭子は、男はもう懲《こ》り懲《ご》りだと思っていた。いや、男の人が嫌いになったというよりも、誰かと出会い、心を奪われることで、ぐずぐずと心がもろく崩れてしまい、正常な判断力さえ失って自滅するに違いない自分が、もう嫌だったのだ。だから、受刑者を励ましたいというボランティア団体の男性から「文通しませんか」などという手紙をもらっても、断固として拒絶し続けた。少しでも心を開いたら、単なる親切心だと分かっていながら、すがって、すべてを委《ゆだ》ねたくなって、やがて妙な妄想を抱くようになると思ったからだ。自分のようなタイプは、必ずそうなる。決まっている。すぐさま相手が「王子様」のように見えてしまうのだ。自分の運命を劇的に変え、ドラマチックなハッピーエンドへ導いてくれるだろうと思い込む。そうして現実を直視出来ないまま、やがて相手につけ込まれて利用され、こちらは意地になってますます相手に執着し、そうして、またもや妙なことになるに違いない。

後から思い返せば、あんなに薄っぺらいホスト一人のために罪まで犯して、一千万以上も貢《みつ》ぐことになったのは、ひとえに、そういう芭子の思い込みの強い性格のせいだと思う。それにしても、いつからこんなに思い込みの強い性格になったのだろう。この思い込みで、何か他の夢を抱いたことは、なかったのだろうか。逮捕される前はどうだったろうか。ホストクラブに行くことを覚えて、間もなくナンバーツーの彼に夢中になる前は、毎日、何を考えて暮らしていたのだったろう。平凡な女子大生として、代わり映えのしない毎日を送っていた頃は。それ以前に、受験勉強に取りかかる前は、志望校を決める頃、もっと前の高校生の頃は――。

考えれば考えるほど、今の自分が、ひどく遠くまで流されてきてしまったことを感じるばかりだった。こんな下町の片隅で、祖母の遺《のこ》した小さな古い家で、たった一人で日々を過ごす三十歳の自分がいるなどと、かつての芭子は想像したことがあっただろうか。まるで生まれたときから天涯孤独だったような気分で、頼りになるのは重たい過去を背負った年上の友人ただ一人で。

駄目だ。

もう完璧《かんぺき》に、レールから外れている。脱線して、ぬかるみに突っ込んだ。いくら足《あ》掻《が》いたところで、自らの力でレールの上に戻ることは、永遠にあり得ない。

未来なんか。

要するに、考えるだけ無駄なのかも知れなかった。とりあえず今のアルバイトは辞める。そして、次の働き口を探す。ある程度の給料さえ支払われて、過去を詮索《せんさく》されずに済んで、あとは普通に働くことさえ出来れば、それ以上に何を望むというのだ。

綾さんとは違う。

あんな風に夢を抱いて、四十歳を過ぎているとも思えないくらいにエネルギッシュで、第一、決して人に知られてはならない過去を背負いながら、あんなに明るく前向きになれるような、そんなタフさは、芭子にはない。

眺めても眺めても、真っ白い霧が立ちこめているばかりの未来は、何ともいえず寒々しく、また静かなもののようにも感じられた。何だか、自分が三十歳ではなく、本当はもう六十歳になってしまっているような気がしてくる。小さなコタツに突っ伏して、天板の冷たい感触を頬に受けている間に、柱時計が六つ鳴った。ああ、もう一日が終わるのかと思ったとき、ふいに玄関のチャイムが鳴った。

4

ドアを開けて、そこに立つ男と目が合っても、芭子には、相手が誰か分からなかった。「どちらさま」と言おうとして、少しの間、額に前髪のかかった相手の顔を見つめているうち、突然、心臓が大きく弾んだ。

「――尚之《たかゆき》」

思わず自分の口元に手をあてて、無意識のうちに声が洩《も》れそうになるのを防いでいる芭子に向かって、冷たい横顔が低い声で呟《つぶや》いた。

「ちょっと入っていいかな。人目があるから」

言われた言葉が耳から脳に届き、その意味をちゃんと理解出来るまでに、ずい分と時間がかかった。少しすると弟が改めてこちらを見たから、芭子は慌《あわ》てて我に返り、玄関を大きく開いた。心臓が、早鐘のように打っている。早くも涙がこみ上げてきそうだった。

「ここで、いいよ。すぐに帰るから」

靴脱ぎに立ち、玄関の扉を閉めると、尚之は改めてこちらを向いた。四十ワットの白熱灯の下で見る顔は、髪型こそ変わったものの、確かに芭子の弟に違いなかった。

「用件だけ済ませたら」

「そ、そんなこと言わないで、上がって。た——あなたにだって、懐《なつ》かしい家じゃないの」

なぜだか、名前を呼ぶことがためらわれた。声が震えているのが自分でも分かる。尚之は少し迷う表情を見せたが、すぐに小さくため息をつくと、「じゃあ」と言って靴を脱ぐ姿勢になった。

「スリッパは」

「あ——ごめんなさい。そういうの、用意してなくて」

俯《うつむ》きかけていた弟が、ちらりとこちらを見る。その瞬間、身を縮めたいほどの恥ずかしさがこみ上げた。客用のスリッパを用意するような生活など、見事に忘れていた。

「あの——とにかく入って。今、あの、お茶っていうか——コーヒーでも淹《い》れるから。すぐ」

彼は「お構いなく」と呟くと、芭子の脇《わき》をすり抜けるようにして茶の間に向かう。

そして、古い六畳間に立つと、しばらくの間、ぐるりとあたりを見回した。

「へえ――変わってないんだな」

「そう――そうでしょう？　お祖母《ばあ》ちゃまがいた頃の雰囲気を壊したくないと思って、出来るだけ、そのままで使わせてもらってるの」

コタツの傍で立ちつくしている弟に、綾香が来たときに使っている、フリース素材でイチゴ模様の座布団《ざぶとん》を差し出すと、尚之は一瞬、戸惑うような表情を見せたが、そのまま素直に腰を下ろした。芭子は、とにかく大あわてでコーヒーの用意をした。心臓はぎゅっと縮んだままのような感じだし、何度、深呼吸を繰り返しても涙がこみ上げてくる。頭の中では、ありとあらゆる言葉がぐるぐると渦を巻いていた。なんで。どうして。元気だったの。許してくれるのかしら。お母さんは？　お父さんは？　私の住んでいたあの家は？　それから可愛《かわい》いメルクルは――。

「あの――どうぞ。美味《おい》しくないかも知れないけど。一応は、インスタントじゃないんだけど、安物だから」

震える手で尚之の前にコーヒーを置き、芭子は自分も尚之の前に座った。ゆったりとコタツに足を入れるつもりになど、なれるはずもないから、正座のままだ。

「あの――元気にしてた？」

芭子が逮捕された当時、弟は十九歳だった。子どもの頃から科学者になりたいとか建築家になりたいなどと言うことの多かった彼は、結局は親の期待通りに大学の経営学部に進んでいた。あの頃は、もう少し頬のあたりにも幼さが残っていたような気がするが、こうして向かい合ってみると、顔つきもシャープになって、ずい分と落ち着いて見える。ジャケットにネクタイという服装でさえ、すっかり板についていた。考えてみれば、当たり前の話だ。芭子が三十になったのだから、尚之だって、もう二十七になっているはずだった。だが、二十七歳の男性というのは、こんなものなのだろうか。まるで、芭子よりもずっと年上のような感じさえして、芭子は初めて会う異性と向き合うような気恥ずかしさを覚えた。

「――お母さんたちは？」

芭子の淹れたコーヒーに手をつける様子もなく、尚之は黙って一点を見据えている。

「元気なの？　あの、お父さんも、みんな」

胸の底からは、一気に様々な思いがこみ上げてきていた。なのに、言葉にならない。第一、尚之の方が、こんなに硬い表情を崩さないのでは、手も足も出なかった。

「あの、今は何をしてるの？　やっぱり、うちを継ぐのかな――あの――コーヒー、飲んだら」

別に毒なんか入ってないし、汚くもないわよと、半ば冗談交じりの言葉が思い浮かんだ瞬間、はっとなった。そうだ。物事には順番がある。弟は、この姉を「汚く」感じているのかも知れないのだ。芭子は慌ててコタツから離れると、畳に手をついた。

「――ごめんなさい。みんなに、迷惑をかけて。お母さんたちにも、尚之にも」

畳の目が、みるみるぼやけて見えなくなり、ぽと、と涙の音がした。ぽと。ぽと。

「本当に、ごめんなさい」

肘《ひじ》を曲げ、額を畳につけて、芭子は同じ言葉を繰り返した。耳の中がごうごうと鳴って、胸の中も嵐《あらし》のようだ。この数日、次々に思い出していた過去の情景が、今度はその嵐の中で吹き荒れるようにくるくると蘇《よみがえ》っていく。

「やめてよ」

もう少しで泣き崩れそうだと思っていたとき、弟の声がした。感情のこもっていない、極めて静かな声だった。

「謝って欲しくて来たわけじゃない。顔、上げてもらえないかな。それに、泣いたりしないで、冷静になってもらわないと、話がすすまない」

その淡々とした口調は、以前の彼と同じようでもあり、また、別人のようにも感じられた。芭子はおずおずと顔を上げ、急いでコタツの脇のティッシュで洟《はな》と涙を押さえながら、慌てて姿勢を戻した。

「まず、さっきの質問に関してだけど、みんな、元気だから。父さんも、母さんも、もちろん、僕も。メルクルは、死んだ」

「死んだの——いつ」

「大分前。十二歳だったから、大型犬にしては生きた方だって」

「——そう。死んだの——」

「僕は、大学を出た後三年間アメリカに留学して、帰国してから就職した」

「あの、どこに——」

「そこまで言う必要ないと思うけどね。どっちみち、あと二年くらいで、親父《おやじ》のところに移ることになるし」

「——そう。順調なのね」

「まあね。姉さんは」

「——私？」

思わず顔を上げた。表情のない弟の顔が、真《ま》っ直《す》ぐにこちらを見ている。元気よ、おかげさまで、と言おうとして口を開きかけたが、それよりも早く、弟の方が口を開いた。

「もう、妙な問題は抱えてないんだろうな」

どん、という衝撃を感じた。実際に、衝《つ》かれたような気分だった。頭でも、胸でも、全身でも。

「また世間を騒がすようなことは、してないだろうねっていう意味だよ。分かる？」

「――して、ない」

「見た感じ、一人で暮らしてるみたいだけど、変な男に引っかかったり、騙《だま》されたりっていうことも、ないのか」

深くうなだれたまま、とにかく小さく首を動かすので精一杯だった。何を言われても仕方がない。どんな屈辱も仕方がないのだ。

「それで、今は。何してるの」

「――マッサージ治療院で、受付のアルバイト」

すると尚之の「なんだ、そりゃあ」という声が聞こえた。そっと顔を上げると、弟は信じられないといった表情で、眉間《みけん》のあたりには明らかな苛立《いらだ》ちを浮かべ、その口元を大きく歪《ゆが》めている。そういえば昔から、何かというと人を小馬鹿《こばか》にして、こういう顔つきをする子だった。お姉ちゃん、そんなことも知らないの。お姉ちゃん、よくそれで平気だね――。

「そんな程度で、生活出来てるの」

「――何とか」

「もう少し、まともな仕事はないのか。その――経歴を問われずに済むようなものの中に」

「ちょうど私も、これからちゃんと探そうと思ってたところ。一生、続けていかれるような仕事」

「これから?」

「手に職をつけるっていうか。自分なりの道っていうか」

「どんなもの」

俯いたまま、なぜだかふっと笑えてきた。

「それが、分からないのよね。何ていうのかな――忘れちゃってるらしいの。自分の夢とか、夢を見る方法とか」

淋《さび》しい笑いが、次から次へと湧《わ》いてくる。芭子は膝《ひざ》を崩して斜めに座り、身体《からだ》をゆらゆらと左右に揺すった。

「馬鹿みたいでしょう? お姉ちゃん、あんなことになって、それから、尚之には想像もつかないような――刑務所なんかで何年も暮らしている間に――何ていうのかな。

全部、忘れちゃったみたいなの」

わずかに肩をすくめて、ふふふ、と揺れながら笑っている間に、また涙が出てきた。顔の筋肉が、ぴりぴりと痙攣《けいれん》を起こしている。笑い声は喉《のど》の奥に張りついて、ただ空気しか洩れてこなかった。本当に、困っちゃう、と言いながら、芭子は自分でもどうなったんだろうと思うくらいに、へらへらと笑い続けていた。九年ぶりに会った弟は、ただ黙ってこちらを見ている。その眼差《まなざ》しの静かさ、無表情な顔が、ますます笑いの神経を刺激した。ちょっと、やめて。そんな顔しないでったら。これでもまだ、私は生きてる人間なんだから。石っころでも畑のカボチャでも何でもないんだから。もう、やめてよ——言葉に出来ない思いばかりが、声の出ない笑いと共に、古い居間に溶けていった。

柱時計がボーンと一つ鳴った。それを合図のように、芭子の笑いはぴたりと止《や》んで、今度は重たい沈黙だけが残った。すう、と姿勢を変えたのは尚之だった。

「今日、ここに来たのは」

わずかに背をそらして、尚之がこちらを見る。

「家族を代表して、姉さんに伝えたいことがあったからなんだ」

この古いコタツ掛けは、押し入れを整理していて出てきた物だ。最初は少しかびくさいようにも感じたが、何日もお日様に干して、裏も表もよく叩《たた》いて使えるようにした。かつて祖母が使っていたものだと思うと、小さなシミ一つでも、なぜだか無性に愛《いと》おしく感じて、どうしても捨てられなかったからだ。幼い頃、芭子は尚之と共にこの家に遊びに来ては、頭からコタツに入って遊んでいたことがある。互いの顔が赤く見えるのがおかしくて、くすくす、けらけらと笑いながらコタツにもぐり込んでいた。あの頃のコタツ掛けは、どんな柄だっただろう。これと同じということは、ないのだろうか。

「実は僕、今度、結婚することになった」

自分の唾《つば》を飲み込む音が、ごくりと大きく頭に響いた。

「そうなんだ——おめでとう」

返事をする代わりに、尚之はすっと視線をそらした。

「先方は、僕を一人っ子だと思ってる。いや、昔はいたけど——もう死んだと」

胸に、キリか何かが刺さったように感じた。芭子は、刺さった何かを引き抜こうと、密《ひそ》かに深呼吸を繰り返した。

「親父《おやじ》やおふくろとも、何度も話し合った結果、そういうふうに、皆で決めた。釣り合いのとれた縁組みだし」

「要するに、私に顔を出すなっていうことでしょう？　そんなの、何も今更改まって言われなくたって――」

「いや、改まって言わせてもらう。これから先は、僕たち家族だけの問題じゃなくなるんだから。先方の親父さんは、うちとも色々な意味で仕事上のつながりのある人だ。ここで妙な問題が起きてくると、後々が面倒になる。だから、きっちり、けじめをつけさせてもらいたい」

尚之は、ジャケットの内ポケットから大きめの封筒を出すと、芭子の方に向けてコタツの上に置いた。

「親父から。この土地の権利証と、有価証券が少し。それから姉さん名義の預金通帳。定期の口座に三千万入ってる。いい？　中身を確認するよ」

畳の上にぺたりと横座りをしたまま、芭子はぼんやりと、封筒から一つ一つ取り出しては説明する弟を眺めていた。

馬鹿みたい。

さっきコーヒーを淹《い》れながら、芭子はほんの一瞬でも、これで家族のもとへ帰れるのではないかと期待したのだ。そんなはずもないのに。

「これだけのものがあれば、姉さんもそれほどあくせくしないで暮らしていかれるはずだ。ただし、馬鹿な男に騙されたりしなければっていうことだけど」

「――そうね」

「ただし、これを渡すについては条件がある」

芭子は、ぼんやりと弟を眺めていた。この子は小さな頃からもともと髪が茶色っぽかった。幼い頃は、それを学校でからかわれて、泣いて帰ってきたこともある。だが、今の時代、染めもせずにその髪の色をしていることは、彼にとっては自慢の一つにもなっていることだろう。細い眉《まゆ》から目元にかけては母譲り。長い首もそうだ。そして、柔らかく動く指先。まるでトランプで遊んででもいるかのように、次から次へと書類を取り出し、折りたたんだ紙を広げる手も、お母さんにそっくり。

「これらのものを受け取ったという書類にサインをしてもらう。こっちの、今後は一切、小森谷の家には関わらないという覚え書きにも。それから、これからうちがこういう手続きをとることを、承知しておいて欲しい」

「――推定相続人廃除届――？」

差し出された紙に書かれた文字をゆっくり読んでみる。何のことだろうかと弟を見ると、尚之は、またもやすっと視線をそらした。

「これを裁判所に提出する。受け入れられれば、姉さんの戸籍に、相続人から廃除されたことが記載される」

「――どういうこと」

「要するに、もうこれからは小森谷の家の財産を相続する権利については一切、主張してもらったら困る、いや、今後一切、主張は出来ないっていうこと。つまり、これから先、父さんに何かあった場合も、また母さんに何かあった場合にも、もう、姉さんには何も相続する権利はなくなる。一切、受け取れない」

どうせ、そこまで甘えるつもりは、こちらだってなかった。この家を貸し与えられているだけだって十分にありがたいと思ってきたのだ。この上さらに、正式な所有権と、相当額のものまで与えてもらえるなどとは、正直、期待もしていなかった。

「それから――これはあくまで、形式的といえば形式的なことに過ぎないんだけど――姉さんには、小森谷の籍から抜けてもらうことになった」

弟は、すっと目線を上げて、「小森谷の籍」というところを、特にゆっくりと発音した。この、大きくて厚めの唇は父に似ている。

「分籍っていうんだけど」

「――それは、どういうこと」

物事を考える力がすべて失われたような気分だった。だが弟は極めて淡々とした口調のままで「分籍」というものを説明した。要するに、現在はまだ両親の戸籍に入ったままの芭子を籍から抜いて、たった一人の戸籍を作るということらしい。分籍に伴って、実際に親子の縁が切れるとか、親族の縁が切れるというものではないが、結婚した子どもが親元から離れるのと同様に、芭子自身が筆頭者となって、たった一人の戸籍が誕生するということらしい。

「――どうして、そんなことしなくちゃならないの」

「分かって欲しい。親父たちだって、どこかでけじめをつけたいんだ。それに、僕が結婚するとき、万に一つも相手方がうちの戸籍謄本《とうほん》を見たりして、疑問に思う可能性もあるからね。第一、一つの戸籍に入っていながら『相続廃除』なんて書き込まれてたら、もっと変じゃないか」

言いながら、尚之はさらに一枚の書類を取り出し、コタツの上に広げて見せた。

「分籍届」という文字が目に飛び込んでくる。

「ここに署名と捺印《なついん》をして欲しい。そうしたら明日にでも、こっちの方で区役所に届けることになってる」

べつに暑いわけではなかった。寒いわけでもない。それなのに、額のあたりには、じっとりと嫌な汗が滲《にじ》んでいたし、一方で背筋はゾクゾクと寒気がしている。

「あの――ちょっと、考えさせてもらうわけにはいかないの？」

胸のポケットからパーカーのボールペンを取り出し、さらに、ご丁寧に印鑑まで用意している弟が、さっと表情を険しくした。

「考えるって、何を」

「だって、そのぉ、戸籍を分けるなんて、そんなの、初めて聞いたことだし、考えたこともなかったし――。そうなると、私は――何だか本当に、お父さんやお母さんの子どもじゃなくなるのかなあって」

するとは尚之は、ますます眉をひそめ、はっきりと苛立った表情になって「だから」と口を開いた。

「人の話を聞いてないの。籍を分けたからって、他には何も変わらないって」

「聞いてる。聞いてるけど、それじゃあ何でっていうか――私にしてみれば――たとえ、この先一生許してもらえなくても、べつに財産なんていらないから、とにかく、お父さんたちの戸籍に入っていられたらって」

言いながら、再び声が震えてきて涙がこぼれた。どうして、そんなことまでするの。そこまで虐《いじ》めるの、という言葉が頭の中でくるくると回る。そのとき、耳鳴りの向こうで玄関のチャイムの鳴る音がした。

「じゃあ、あれか。姉さんは、結婚するときはどうするんだよ。どうせ新しい戸籍になるんだぞ」

「結婚なんて――出来るわけないじゃない」

「それは、そうかも知れないけど――たとえばにしても、結婚するときには、戸籍は親元から離れるんだしさ」

二度、三度とピンポンが繰り返し鳴らされる。尚之が「何なんだ」と、さらに苛立った表情で呟《つぶや》いた。

「誰か、来ることになってたの」

「まさか――あの――近所の人かも知れないから。お向かいのお婆《ばあ》ちゃんとか――」

ちょっと待っててと言い置いて、芭子は慌《あわ》てて玄関に走った。

「近所のおばさんでぇっす！　いやあ、まいったまいった。オーブンが壊れてさあ、明日、急遽《きゆうきよ》修理だって。つまり、お・や・す・みぃ！　いやね、さっきから何回か携帯、鳴らしたんだけどさあ、出ないから――」

玄関を開けるなり、綾香の陽気な声が響き渡った。だが次の瞬間、歯をむき出しにして笑おうとしていたその顔が強張《こわば》った。

「――どうしたの。ちょっと、芭子ちゃん」

言葉に詰まって立ち尽くしている間に、背後から慌ただしい足音がして、芭子を押しのけるようにして弟がすり抜けた。

「また来る」

靴を履きながらそれだけを低い声で呟く。そうして弟は、呆気《あっけ》にとられた表情の綾香を突き飛ばすようにして、路地の闇《やみ》に消えていった。

5

翌朝、泣き腫《は》らした目で出勤すると、既に看板が治療院の表に出されていた。つまり、またもや今枝が来ているということだ。

見事としか言いようのないタイミング。

ほとんど眠っていないせいで、神経が妙な感じで張りつめている。もう、何を考えるのもいやだった。芭子は大きく息を吐き、ゆっくりと治療院のドアに手をかけた。それでも、すぐには足を踏み入れない。中に漂う空気を探るように、少しの間、そこに立ち止まっていた。営業時のようには照明をつけていないから、店内はぼんやりと薄暗く、受付カウンターの上にあるダウンライトだけが点《とも》っている状態だ。

「どうしたんだ」

いくつものマッサージチェアが並び、パーティションがあり、また別の機械が並ぶばかりの空間。白々として、無機的で、温かみもなければ親しみも感じない空間。こんな面白くも何ともない場所が、芭子にとって唯一《ゆいいつ》の社会との接点だった。一年半あまりというもの、ここに通い続けるだけで必死だった。

「おい、ドア。早く閉めてくれないか。寒いし、埃《ほこり》が入るじゃないか」

院長の声がする。芭子は、ゆっくり声のする方を見た。例によって、芭子がいつも座っている受付カウンターの方だ。今枝は、椅子《いす》に腰掛けたままの格好で、カメのように首を伸ばしてこちらを見ている。

「何、突っ立ってるんだよ」

「私、今日でここ、辞めます」

言ってしまってから、自分で自分に驚いていた。まさか今日、そんなことを言い出すつもりなんて、まるでなかったのだ。

「急に、何を言い出すのかと思ったら。あのさあ、小森谷さん——」

「辞めます。辞めさせてください」

「辞めるのは構わないけど——何だよ、それにしたって、ちょっと急過ぎないか。こっちへ来て、ちゃんと理由を言ってくれないか」

さすがの今枝も焦《あせ》っているらしい。ちょっと、ちょっと、と手招きをする。それでも芭子は、靴も脱がずにカウンターの方を向いたままだった。

「実は、今日あたり、小森谷さんに折り入って話そうと思うことがあって、僕だって早く来てたんだけどな。なあ、せめて、その話を聞いてからにしないか」

「——辞めます」

「だからさあ、まあ、そう言わないで。実は今度、今よりもう少し広いところを借りようかとも思ったりしてるんだが、その場合には、小森谷さんには、アルバイトっていうより——」

「今月分のお給料は、後でいただきに来ますから」

「だから、待てって！」

たまりかねたように、今枝の方が立ち上がった。それからバタバタと小さなカウンターを回り込んでくる。

「何なんだ、いきなりっ。こんなに急に辞められたら、こっちが困ることぐらい、分かってるだろうがっ」

芭子は、黙って今枝を見上げた。どうしてこんな男に居丈高に怒鳴られなければならないのだろうか。

「こっちはこっちで、アテにしてるんじゃないか」

「セクハラで訴えることも、出来るんですよ」

するど、今枝の顔がぴくりとなった。口元を奇妙に歪《ゆが》め、薄笑いのような顔になって、その色の悪い唇が「へーぇ」と動く。

「セクハラだって？　誰がいつ、そんなことをしたんだい。君にか？　ええ？」

芭子は、相手の視線の強さに負けまいと、必死になって踏みこたえた。すると、今枝がさらに妙な笑みを浮かべた。

「あんな冗談も通じないのか、ええ？　亭主と別れたきりだっていうし、いつだって哀れぶった感じで、いかにも物欲しげに見えるから、ちょっとからかってやっただけじゃないか」

頭がガンガンしてきた。それでも芭子は黙っていた。

「何だよ、まったく。俺がいつ、あんたにセクハラなんかしたっていうんだ。どっか触らせろとでも言ったか、ええ？　あ、あんた、それとも自分が男から声をかけられるタイプだとでも、思ってるんじゃないんだろうな」

心臓も鼓動を速めている。

「ったく、腫れぼったい顔して来たと思ったら、一方的に辞めるだって？　しかも今日？　あんた、何様だ？　常識っていうもんが、ないのか」

「――でも、辞めますから」

「いいか？　あんたみたいに何の経歴もなくて、パソコン一つ満足にいじれなかったような陰気くさい女が、他にどこで働けるとでも、思ってるんだ」

「――今の言葉すべて、パワハラとセクハラです。これ以上、何か言われるようでしたら、私、本当に訴えますから」

震える声で、やっと言った。

言ってやった。

昨日、あんなに泣いたのに、また違う涙がこみ上げてきそうだ。芭子は肩で息をしながら、しばらくの間、今枝を見上げていた。今枝は何度か口を開こうとしたが、やがて、ふん、と大きく鼻を鳴らした。

「お給料日になったら、連絡しますから」

返事はない。それでも芭子は、最後に「お世話になりました」と小さく頭を下げた。そのまま踵《きびす》を返すときには、もっとひどいことを言われるのではないか、または肩でも摑《つか》まれるか、最悪の場合は後頭部あたりでも殴られるかも知れないと、全身を緊張させたが、ドアを押し開けて、改めて外の空気に触れるまで、ついに何ごとも起こることはなかった。ただ、顔ばかりがかっかと熱くほてっていて、息切れするほど心臓が苦しい。

「あ、綾さん？　私ねえ、今、辞めてきた」

路地を曲がって、次の路地に入るなり、携帯を取り出して綾香に電話をした。

「あーあ。これで、もう——さっぱりしちゃった。これで、何もかも、なくなって」

「——芭子ちゃん、また何か言われた？」

「そうじゃないけど。今日も朝から来てて、あの顔を見た途端に、自然に出ちゃったの。『辞めます』って」

そうなんだ、という声が、やたらとぼんやりしている。どうしたの、と言いかけて、はっとなった。

「ごめん——綾さん、寝てた？」

そういえば、このところは明け方というよりも真夜中過ぎに起きて職場に出るようになった綾香は、夜は八時前には布団《ふとん》に入る生活を送っているはずだった。それが昨夜は、臨時休業の前日だから多少は夜更《よふ》かしするつもりだったにせよ、綾香の感覚では一睡もせずに過ごした格好になる。ずっと、芭子の話を聞いてくれていたのだ。今頃、限界が来ていて当然だ。

「あ、ごめんね、寝て寝て！」

電話をしまうと、ぽかん、となった。さしあたって、何もすることがない。昨日のショックがまだ十分すぎるほど続いているというのに、その上、こんな形で、しかも今日、職を失うことになるとは思わなかった。

――なくなった。何もかも。

頭の片隅では、これでいっそ、すっきりするではないかという声も聞こえてはいる。昨晩、綾香も似たようなことを言ってくれていたと思う。これで未練という未練はすべて、きれいさっぱり断ち切って、本当の意味で自立して、未来だけ見て生きていけばいいじゃないの、と。確かに、その通りだとも思う。第一、こういう生き方を招いたのはすべて芭子自身なのだ。誰を恨む筋合いのものでもないし、ましてや、ある程度の現金に加えて、あの土地や家の権利まで渡してもらって、これ以上、文句など言えた義理ではない。

分かっている。

理屈ではすべて分かっているのだ。両親にしてみれば、苦渋の選択だったのかも知れないとも思う。いや、そう思いたい。信じたい。

昨日は話の途中で帰る格好になった尚之は、きっと近いうちにもう一度、やってくるはずだった。そのときが、もしかすると一生の別れになるかも知れない。仕事を辞めたからといって、急に行きたい場所が思い浮かぶわけでもなかった。早々に家に戻ると、芭子は古い家の茶の間で、ただぼんやりと考え続けた。おそらく、尚之の申し出を断ることは出来ないだろう。財産を分けてもらえることは有り難いことだし、そうすれば、取りあえず仕事があろうとなかろうと、安心してこの家に住み続けることだけは出来る。実は、今日まで、そのことに関する不安は、常に芭子につきまとっていた。いつ、見知らぬ誰かがやってきて、父の、または母の言いつけだからと、芭子をこの家から追い出すのではないかという不安だ。それが解消されたら、どんなに気持ちが楽になるか分からない。その上さらに、三千万の預金と有価証券があれば——その気になれば、綾香が店を出すときに用立てることだって出来る。

戸籍を分けるからといって、親子や姉弟の縁が切れるわけではないと昨日、尚之は言っていた。いや、たとえ切れたとしたって、血のつながりまで切れるわけではない。だとしたら、これも自分が受ける報いの一つとして、おとなしく受け入れるより他、仕方がないのかも知れない。

あーあ。

心の中一杯に広がっていく、何ともいえず寒々しい諦《あきら》めの中で、こんな時に何か少しでも口ずさむことが出来たらいいのにとふと思い、それから突然、何日か前の綾香との会話が蘇《よみがえ》った。

歌手なんて。

まったく、綾香という人は、面白いことを言い出すものだ。だが、たとえ冗談だったにせよ、百パーセントあり得ない話だと分かり切っている話にせよ、何となく——嬉《うれ》しかった。

考えてみれば、自分の歌を褒《ほ》められたのは、刑務所に入っていた、あの時が初めてだった。歌うことは嫌いではなかったし、小学校の時にはコーラス部に選ばれたりもしたけれど、友人からも先生からも、そして家の誰からも、それで褒められたという記憶はない。つまり、芭子の歌を喜んで聴いてくれたのは、あの刑務所の受刑者たちと、とりわけ綾香だけということになる。

では他に、何か褒められたことはあっただろうか。物心ついた頃から今日まで、誰かに何か、褒めてもらったことは——。

その日から毎日、芭子は何をしていても、同じことばかり考えるようになった。時間だけは腐るほど有り余っているから、毎日毎日、祖母の遺《のこ》した家を端から点検し、押し入れの中の一つ一つまで、いちいち取り出して部屋に並べて過ごす。それら古い道具類の用途や意味合いや、今後、自分が使う可能性を考えたりしながら、少しずつ、荷物を振り分けていく作業は、退屈しのぎにはもってこいだった。そして、あまりにも古くて重たいアイロンとか、黒い大きな玉のソロバンとか、どう考えても使わないと思うものは、ゴミに出すことにした。

「あんた、捨てるのか、これを」

ところがある日、はす向かいの大石老人が、芭子の出したゴミを覗《のぞ》いて、目をぎょろりとさせた。芭子は、ついに老人の怒りのスイッチボタンを押してしまっただろうかと首を縮めた。

「あの、今日は不燃物の日ですから」

その日、芭子がゴミに出したのは、古いアイロンと、手動のコーヒーミル、何本ものペン軸、それに、のし紙のついた箱に入って真新しいまま忘れ去られていた様子の、手鏡とヘアブラシのセットだった。どちらも持ち手の部分は金色で、背面にも金の糸を使った織物が張られており、さらに、その絵柄というのがフランス宮廷風に見える貴婦人の肖像画といったもので、とてもではないが芭子の趣味に合うような代物《しろもの》ではない。亡《な》くなった祖母だって、自分が使う気にならなかったからこそ、そのまましまい込んであったのに違いない。

「だからって、捨てるのか。こんなに」

「でも、どう考えても使わないものばかりですから」

言い訳がましく説明をすると、大石ボタンは、気難しい様子で芭子のゴミを眺めていたが、やはり「だめだ」と首を振った。

「もったいないじゃないか」

「でも――」

「こういうものは、アレだ。あそこの、ふれあい館に持っていって寄付するか、自分でフリーマーケットに出せばいい」

「フリーマーケット、ですか」

老人にしては目新しい言葉を知っていると思った。だが大石老人は、当たり前だと言わんばかりに、ふん、と鼻を鳴らした。

「アレだろう。あんた、最近、仕事に行っておらんのだろう。理由は知らんが、だったらどんなものも無駄にせんで、これだって、売れば十円にでも、百円にでもなるかも知れんのだから」

「あの――私が仕事に行ってないって――そのう、誰が」

真っ先に思い浮かんだのは、あの軽薄そうな若い警察官だった。だが大石ボタンは、口をへの字に曲げたままで「婆《ばあ》さんが、そう言ってる」と応《こた》えた。

「毎朝決まった時間になると、自転車で出かけていったのに、最近はそれを見なくなったし、昼間でも家にいる様子だってな。アレなんだろう？　見たところ元気そうだから、具合が悪いとか、そういうんじゃあ、ないんだろうな？」

嬉しいような悲しいような気持ちだった。もう、この世の中で自分のことを見てくれている人など、ただの一人もいなくなったと思っていたのに、いちいち細かく干渉などされてたまるかと思っていた隣近所が、一番に気づいていたとは。ここで生きて、暮らしていることを知ってくれていたとは――。

「そうか――ご存じだったんですね」

ほう、と息を吐き出してから、芭子は、老人に向かって笑って見せた。

「辞めたら、元気になったんです。だから今は気分転換に、祖母が遺していった物を少しずつでも片付けようかと思って。でも、そうですよね、言われてみたら、その通りだわ。ふれあい館に、持っていってみますね」

一度は置いたゴミ袋を再び拾い上げて小さく笑うと、大石ボタンは、満更でもなさそうな顔になって頷《うなず》いていた。

私は、ここで生きていく。

赤の他人のあの人たちに見守られ、綾香と肩を寄せ合って。それしか残された道はない。

数日後、また夜の闇《やみ》に紛れるようにして、前触れもなく尚之がやってきた。芭子は、今度は涙も見せず、あまり多くを話さないまま、尚之が差し出す書類に、黙って署名と捺印《なついん》をした。

「お母さんたちに、よろしくね」

帰り際《ぎわ》、玄関口に立って、芭子は自分よりもよほど背の伸びた弟の背中にささやきかけた。尚之は小さく振り返り、うん、と頷くと、そのまま行ってしまった。

6

時間ばかりがゆるゆると流れていく。三日が一週間になり、一週間が十日になっても、当たり前のように一日が始まって、何ごともなく夜が来た。芭子の周囲は、水の底のように静かだった。もちろん、ほぼ一日中つけっぱなしのテレビからは、時間ごとに新しいニュースが流れたし、毎日絶えることなく、どこかで事件や事故が起き、必ず誰かが死んだり捕まったりしていることを伝えている。それなのに芭子だけが、世の中のどんな出来事とも関係ない場所にいるような気がした。

「こんな生活してたんじゃ、あそこにいた頃とまるっきり変わらないじゃん」

綾香から同じことを言われる度に、「そうだよね」と笑ってみせるものの、だからといって他にどうすればいいのかも分からなかった。「早く元気にならなきゃ」と繰り返し言われるが、芭子自身は、特に元気がないつもりもなかった。

「そういうのを、ふぬけっていうんだよ。若いんだからさあ、とにかく動かなきゃ駄目だってば！」

ある時など綾香は、たまりかねたように『女性のハッピー仕事図鑑』とか『目指せキャリアアップ』『30からの天職さがし』などといった本を買い込んできてくれたこともある。芭子は「いくらだった？」と財布を取り出した。

「いいよ、そんなの」

「受け取ってってば。私、ほら、お金持ちになったんだから」

だが結局、どの本もぱらぱらと見た程度で茶の間の隅に積み上げたまま、やはり日にちばかりが過ぎていった。

「分かった。じゃあさあ、私と話しながら考えてみようか。ね、消去法っていう手もあるじゃない？　やりたくないモノから順番に、消していくっていうの、どう」

　あの夜、九年ぶりに会った弟から絶縁同然の申し渡しを受けたことを知っているだけに、今回は綾香もいつになく気遣ってくれている。そのことは、芭子も感じていた。申し訳ないとも、ありがたいとも思った。それでも芭子は、いつも何となく曖昧《あいまい》に微笑《ほほえ》むのが精一杯で、のらりくらりとした反応しか示すことが出来なかった。

　給料日には、綾香に頼んで「オレンジ治療院」に給料の残りを受け取りにいってもらった。

「新しいパートのおばさんがいたよ。やたらと厚化粧の、四十五、六か、五十はいってるかな。すんげえ感じ悪いの。『院長先生から聞いてますよ。勝手に辞めたっていう人の分でしょう』とか何とか言っちゃって」

　薄い封筒に入っている現金を受け取りながら、綾香からそう聞いたときには、自分でも不思議なくらいに淋《さび》しい気持ちがした。あんな場所でさえ、もう芭子を必要としていない。いよいよ行き場がなくなったのだと思った。

　水分の多い、べたべたとしたみぞれ混じりの雪が二度降って、ただでさえ短い二月は瞬《また》く間に過ぎてしまった。毎朝、建付けの悪い雨戸を開ける度に、淡い陽射《ひざ》しや流れる風に、春が近いことを感じる。

その日の午後、芭子はコンビニエンスストアで買ってきたクロスワードパズルの雑誌を開いていた。刑務所時代も、夕食を終えて就寝までの自由時間にはパズルを解いていたことを思い出して、つい買ってしまったものだ。刑務所での自由時間、受刑者たちの多くは家族や自分の大切な人にあてて手紙を書いたり、また、受け取った手紙を読み返したりして過ごすのが常だ。けれど芭子には手紙をくれる人も、また手紙を出すべき相手もいなかったから、ひたすらパズルに向かっていた。

こんなことしかしなくたって、ちゃんと時間は過ぎていく。

あの頃だって、そうして過ごしていたのだ。だから、これからだって、同じようにできないはずがない。

縦のヒントと横のヒントを組み合わせながら、何とか複雑なパズルを解こうとしていたら、玄関のチャイムが鳴らされた。

「小森谷さあん、お荷物でえす！」

若い男の声だった。この家に荷物など届いたことは一度もなかった。芭子は怪しみながら、そろそろと玄関に向かった。

「小森谷さあん！――あ、毎度」

そっとドアを開けると、街角のどこででも見かけるユニフォーム姿の青年が、相当な大きさの段ボール箱を抱えて立っていた。

「お荷物のお届けですね。はい。ここに判子かサイン、いいですか」

「あの——どこから」

するとと宅配便の青年は「ええと」と言って改めて伝票に目を落とし、それから、ひどく人なつっこく見える笑顔になった。

「これ、ご本人さまからですよ。小森谷、なに子さまっていうんですかね」

青年の差し出す伝票を見て、芭子は「はこ」と発音した。自分宛《あて》の荷物だという。芭子自身が出した。まさか。そんな覚えはない。

「小森谷芭子は私なんですが——」

「ああ、じゃあ、お待たせしました」

「あ——はい」

「ここの受取りの欄に、判子かサイン、いいですか」

青年に促されて、芭子は言われたまま、示された場所に慌《あわ》ててサインをした。いつも下駄箱《げたばこ》の傍に置いてあった判子は、そういえば弟が持ってきた書類に使って、そのまま茶の間の方に置きっ放しになっていたからだ。相変わらずにこにこと愛想のいい青年は、「はい」と段ボール箱を差し出してくる。その仕草があまりに身軽だったので、普通に受け取ったら、意外なほどの重さによろけそうになった。

「あ、大丈夫ですか」

慌てて姿勢を直して、改めて顔を上げると、まだ寒いというのに半袖《はんそで》姿の青年は、よく日焼けした顔にもう一度笑みを浮かべて「気をつけてくださいね」と言った。芭子は、まるで夢から覚めたような気分で、その笑顔を見た。

ドアを閉めた後も、何だか落ち着かない気分だった。冷え切っていた体温さえ、ほんの少し上がったような感じだ。人の笑顔というものは、何ていいものなのだろう。見知らぬ相手だったというのに、まるで、会いたくてたまらなかった、ひどく懐《なつ》かしい誰かに会ったような気持ちになってしまった。

まるで――。

また余計なことまで考えそうになって、芭子は慌てて気持ちを切り替えようとした。たかだか荷物を届けにきただけの相手が、たった一瞬笑っただけで、こんな気持ちになるなんて、完璧《かんぺき》にどうかしている。これではまるで男に飢えているようではないか。第一これだから、つけこまれるのだ。男の笑顔なんか、ろくなものではないと、これだけ繰り返して自分に言い聞かせてきているのに。

「まったく。本当にお馬鹿《ばか》さんなんだから。もう二度と失敗するわけにいかないのよ。今度、何か起こしたら、本当にもう生きてなんかいかれないんだから」

わざと口に出して言ってみた。このところ、そうすることが多い。あなたのことなんか、誰も相手にしやしないわよ。そうやって、歳《とし》だけとっていけばいいの。どうせなら、ぱっと贅沢《ぜいたく》しちゃおうなんて、思ってるんじゃないでしょうね——口に出して言ってみると、その分だけ、心に溜《た》まっているものが減るような気がした。だから茶の間に戻ってからも、畳の上に置いた段ボール箱の伝票を見下ろしながら、芭子は「何なのよ」と呟《つぶや》いた。

——確かに、私が出したことになってるのよね。どうなの？　本当に身に覚えはない？　毎日ぼんやり暮らしてて、惚《ぼ》けてきてるなんていうこと、ないでしょうね。

だが、さすがにそんなことまで忘れているとは思えなかった。

——じゃあ、誰が送ったっていうの。まさか、爆弾とか？

「——誰かが、私に？」

口にしてから、一人で肩をすくめて笑ってしまった。それこそが馬鹿馬鹿しい妄想というものだ。分かっている。毎日パズルを解くくらいしか頭を使っていないから、宅配便の青年にまで心を動かしたくなったり、妙な妄想を抱いたりするのだ。いつだったか、綾香も言っていたことがあるではないか。世の中の人々が、もっと忙しかったら、くだらない事件やいざこざはもう少し減っているはずだと。

――だって、暇だから余計なことまで考えちゃうわけでしょう？　誰と誰がどうなったとか、アイツが好きとか嫌いとか。本当に忙しかったら、余計なことなんか考えてられないって。憎んだり恨んだりなんてねえ、ある程度、暇じゃなきゃ出来ないもんだわよ。

その通りかも知れなかった。確かに暇だから、同じことばかり繰り返し考えて、その間に妄想めいた気持ちが膨らんでいくのだ。ある日突然、過去が消えるのではないかとか、「前科くらい、何だっていうんだ」と言ってくれる男性が現れるに違いないとか、両親が泣きながら「帰っていらっしゃい」と言ってくれるとか。馬鹿馬鹿しい。百年待ったって、そんなことは起こるはずがないのに。

「あっ、待って、待って」

――もしかすると。

何かの抽選に当たったのかも知れないと思い当たった。芭子はときどき雑誌や広告などに出ている懸賞に応募することがある。最近はインターネットで見かけるプレゼントクイズなどにも申し込みをしているくらいだ。そういう中の何かが当選したのかも知れなかった。これまでにも経験があるが、「当選者の発表は賞品の発送をもってかえさせていただきます」と注意書きがされている類《たぐい》のキャンペーンなどは、こちらが応募したことさえ忘れた頃に、ひょっこり賞品が届いたりすることがある。だから、これももしかすると、すっかり忘れている何かの当選賞品なのかも知れない。

そう考えると、一刻も早く中身を確かめたくなった。芭子はいそいそとガムテープを剝《は》がしにかかった。くだらないものじゃ、ありませんように。せめて一日くらい幸福な気分になれて、しかも実生活に役立つものでありますように。祈るような気持ちでテープを剝がし、箱を開ける。すぐにパッキングに使うプチプチのビニールシートが見えた。その上に、薄水色の封筒が載っている。先に中身を確かめるか、それとも、この封筒を確認するか。一瞬迷って、まずは荷物の内容を見ることにした。ためらうことなくビニールを取り除く。

その途端、まるで、ふわりと何かが匂《にお》い立ったように感じた。芭子は一瞬、息を吞《の》んで、そこに詰め込まれた品々を眺めた。

何もかも、まるで、つい昨日も見たばかりのように覚えていた。自宅の部屋の、どこに置いてあったかさえ、はっきりと思い描くことが出来る。間違いなく、それらは芭子自身の持ち物だった。何よりも箱の半分ほどを占めて見える、わずかに薄汚れたぬいぐるみが、それを証明している。最初からついていた黒い首輪に加えて、芭子がこの手でつけた毛糸の首輪もそのままに、申し訳なさそうにうなだれた格好で押し込められていたのは、芭子のスヌーピーに間違いなかった。そっと抱き上げると、頭の大きなぬいぐるみは、人の好《よ》さそうなたれ目の顔で、くたっともたれかかってくる。その丸い腹に顔を押しつけて、芭子は息を殺した。

帰ってきてくれた。私の傍に。

こういう心持ちを何と表現すればいいのだろうかとしばらく考えて、やっと「懐かしい」という言葉が思い浮かんだ。

何て、懐かしいんだろう。

どれくらいの時間そうしていたか分からない。それから芭子は、ようやく他の荷物を一つ一つ取り出し始めた。幼稚園、小学校、中学、高校の、それぞれの卒業アルバムと文集。芭子個人の赤ん坊の頃からのアルバム。中学生の頃にねだって買ってもらったシリンダー式スイス製オルゴールも出てきた。革製のペンケースを開くと、中には当時使っていたペン類と一緒に、使いかけの消しゴムまでが、そのままに入っている。格好をつけようとして、小遣いで買った伊達《だて》眼鏡。大学に入ったときに買ってもらったシャネルの腕時計に、二十歳の誕生日に贈られたパールのネックレスとイヤリング。買ったまま、タグも外さずにしまってあったエルメスのスカーフ。それから、SMAPのCDまで。そして、荷物の一番下からは、桐《きり》の箱に入れられた一対の雛《ひな》人形が出てきた。毎年、節分が過ぎた頃になると、階段の踊り場にある小窓の前に置かれる人形だった。芭子は幼い頃から、この雛人形が大好きだった。応接間に飾られる段飾りの雛人形よりもずっと小さくて、二人ぼっちで、でもずっと優しくて幸せそうに見えて、この人形を出してもらうと、芭子はいつも階段の踊り場で遊ぶようになっていたくらいだ。

私は、こういうものに囲まれて暮らしていた。

コタツの上に雛人形を置き、最後に、荷物の一番上に入っていた封筒を思い出した。宛名も何も書かれていない薄水色の封筒には、無地の薄い便箋《びんせん》が入っていた。

姉さんは、幼稚園の先生になりたいと言っていたことがあります。

犬の美容師になりたいと言い出したときには、母さんが「ふさわしくない」とひどく怒って、姉さんが泣いていたのを覚えています。

僕が中学生の頃には、アナウンサーになりたいとも言っていたかな。ニュースを読んだり、情報を伝えたり、時にはアイドルへのインタビューのようなこともしてみたいって。そんなに引っ込み思案で、アナウンサーなんかになれるの、そのためにはもっと英語を勉強しなければいけないでしょう、と、やっぱり母さんに叱《しか》られていました。その他には、カラーコーディネーター（？）とか、編み物の先生かデザイナーになりたいと言っていたこともあったと思います。僕が覚えているのは、そのくらいです。

母さんは、いつも姉さんを叱っていたけれど、憎かったわけではないと思います。あれが母さんの気性で、こういう家に生まれた人の運命だと分かってやってください。もっと姉さんを褒めて育てていれば、自分に自信を持った子になっていたかしらと言っていたことがあります。

元気で。姉さんらしい人生を。

尚之

これが、大人になった弟の文字かと思った。幼い頃には二人して、毎週のように何とかサボる方法はないものだろうかと相談しながら、結局はいい方法が見つからずに、嫌々お習字に通わされていたことを思い出す。今になってみれば、そのお蔭《かげ》で取りあえずは恥をかかない程度の字が書けている。ことに尚之の文字は流れるように美しく、その年齢とも思えないくらいに落ち着いて見えた。

これが、お母さんが私たちに与えたもの。口うるさく、いつも芭子を急《せ》き立てた。芭子の記憶の中の母は、いつも怒ってばかりいた。温かい柔らかなイメージなど、まるでなかった。よその母親のように、のんびりとして温かい柔らかなイメージなど、まるでなかった。芭子が幼稚園に入る前から水泳とピアノを習わせ、それ以降は習字とソロバン、英会話も増えた。学習塾は二ヵ所に行き、毎日毎日、何かの予定を詰め込まれた。月曜から金曜までの、ニュース以外のテレビは禁止。あれも駄目、これも駄目。

銀行家の一族に生まれて、母自身が祖母から厳しく躾《しつ》けられて育ったという話を、芭子は何度となく聞かされた。大切なのは家柄。血筋。体面。本家筋というわけでもないのに。その結果、たとえ芭子自身が意識しなくとも、あの刑務所のような、皆が皆、同じ服装で決められた通りにしか動けない場所でさえ「お嬢さん育ち」「お上品」と言われるように育った。すべて、母がそうしたからだ。こんな風に捨てられても、そういうものだけは、芭子の中に残っている。

今頃、母はさぞ思っていることだろう。あんなに手塩にかけて育てたのにと。けれど、芭子だって言ってやりたかった。

あんまりじゃないの。私だって、好きで罪を犯したわけじゃない。ただ、人を好きになる方法を間違えただけじゃない。大体、お母さんは一度だって、誰かを好きになったときのことなんか教えてくれなかった。話を聞いてもくれなかった。私はいつだって、独りぼっちで苦しんできた。母親なら、こんな時こそ大丈夫、安心しなさいと、どうして迎え入れようとはしてくれないの。

いや、母だけではない、父だってずるい。仕事以外のことは全部母に任せっぱなし。いくら外で威張っていたって、結局、母には頭が上がらないままだ。熱烈な恋愛結婚だったとは言っていたけれど、要するに父は、母の実家と熱烈な恋愛をしたのに違いないのだ。祖父の事業を継ぐと決めたときから、父は、まるで卑屈な婿《むこ》養子のようになったのに違いない。

――お母さんとよく相談をして。

今、思い出したって、父の口癖といったらこればかり。芭子が警察に捕まって、混乱の極みにいたときも、こんな時こそ父親として守ってもらいたいと思ったのに、結局は駄目だった。最高の弁護士をつけるからと、それ以外には何も言ってはくれなかった。

尚之だって同じことだ。昔から、要領ばかりいい子だった。陰ではコソコソと動き回って、相当に悪いことだってしていたくせに、絶対に叱られるようなことにはならないで。いつだって優等生ぶって。私と比較される度に、人を小馬鹿にしたような目つきをして。

この荷物にしたって、尚之は、きっと訣別《けつべつ》のつもりで送ったのだろうと思う。それなりの家の令嬢と結婚して、彼は両親の期待通りに、レールから外れることなく生きていく。そのために、もっとも整理しなければならない相手が自分の姉だからだ。だからこそ、差出人の欄にさえ、自分の氏名も住所も書かなかったのに違いない。自分たちの手元に置いておいても仕方のないものだから、もう「死んだ」ことになっている人間のものだから、処分するつもりで、単に送りつけてきただけなのだ。

あんたたちなんか、大っ嫌い。そこまでするんなら、私の方からも憎んでやる。絶縁で結構。こっちから願い下げだ。

そうだ。

そう思えばいい。

さようなら。

芭子は、弟の手紙を見つめたまま、何度も何度も「さようなら」と呟《つぶや》き続けた。やはり、涙が止まらなかった。芭子だって、そこまで馬鹿《ばか》ではないつもりだった。いくらそう思おうとしても、突っぱねても、本気で憎めるはずなどないと分かっている。

何より、この手紙からは、尚之なりの精一杯の思いが感じられるのだ。将来を考える術《すべ》を失った姉を、あの弟なりに案じているのが痛いほど伝わってくる。彼は、九年ぶりに会った芭子を見て、どう感じたのだろうか。今の芭子は、かつての家族からはどんな風に見えるのだろう。安物の服を着て、髪だって一つに束ねて結わえたきり、口紅一つつけていない姿で。スリッパさえ、用意していなかった。祖母の遺《のこ》したコタツ掛けに、百円ショップで買ったフリースの座布団《ざぶとん》しかない茶の間で、やがて父の事業を継ぐ彼は、果たして何を見たのだろう。

結局、あの人たちも、喪《うしな》ったんだ。

たった一人の娘を。姉を。家族を。

初めて、そのことに思いがいった。あの頃、芭子は家族の存在など忘れ果てて、犯罪に走った。もしもあのとき、ほんの一瞬でも両親や弟の顔を思い出していたら、あんな馬鹿な真似《まね》はしなかったと思う。だが、当時の芭子は、彼のこと以外もう何一つとして見えなくなっていた。その結果、家族の目の前で、手錠をかけられることになった。あの時点で家族を捨てていたのは、芭子の方だったのだと、気がついた。

7

その夜は、何度寝返りを打っても寝付かれないまま、とうとう階下の柱時計が三つ鳴るのを聞いた。泣きすぎて、あれこれと考えすぎて疲れた頭に、ふと、綾香のことが思い浮かんだ。もう起きている頃だろうか。こんな、まだ朝の気配さえ感じられない時刻だというのに。

だけど、うらやましい。

夢を持って、身体《からだ》を使って働いて、疲れたら、こてん、と寝てしまう。その繰り返しが、綾香を着実に前へ推し進めている。一体、あのエネルギーの源は何なのだろう。あの職場は、そんなに楽しいところなのだろうか。

芭子だって、心の奥では「こんなことをしている場合じゃない」という声が聞こえているのだ。いつまでも、冬ごもりのような生き方ばかりしているわけにいかない。それは分かっているのだ。動き出さなければいけない。もうすぐ春が来てしまう。春に。

布団の中で、はっとなった。よく考えてみたら、今日は三月三日ではないか。だから尚之は、雛人形も送ってきたのだ。この殺風景な住まいを見て、弟なりに哀れだと思ったのだろう。そう思いたい。信じたい。

結局、次から次へと色々な思いが浮かんできて、とても寝付かれそうにはなかった。思い切って起きてしまうことにして、茶の間に下りると、小さな茶箪笥《ちゃだんす》の上には今日やってきたばかりの雛人形が一対、何となく居心地悪そうに座っている。コタツの上には、寝る前まで飽きることなく眺めていたアルバムなどが積み上げられたままだ。

――姉さんは、幼稚園の先生になりたいと言っていたことがあります。

尚之の手紙の文面が頭に焼きついていた。そういえば、年長組の時の担任の先生が大好きで、自分も大きくなったらあんな風になりたいと憧《あこが》れていたことを思い出す。葛原《くずはら》のり子先生という、とても優しい先生だった。今にして思えば、当時の先生は今の芭子よりも若かっただろうと思うのに、とてもしっかりして見えた。オルガンが得意で、歌が上手で、そして、いつもにこにこと笑っている先生だった。

――犬の美容師になりたいと言い出したときには、母さんが「ふさわしくない」とひどく怒って、姉さんが泣いていたのを覚えています。

確かに、そんなこともあった。初めてマルチーズを飼うことになって、嬉《うれ》しくて嬉しくて、毎日のようにブラッシングしてやっているうちに、色々な犬をきれいにしてあげる仕事をしたいと思うようになった。すると母は怒って「獣医ならともかく」とか、そんなことを言っていたと思う。当時の芭子には、どうして獣医なら良くて、美容師は駄目なのかが分からなかった。同じように生き物を大切にする仕事なのに、なぜ母はそんなに怒るのかと、泣きながら考えた記憶がある。弟はそれを、彼特有の冷静さで、じっと眺めていたのに違いない。

それにしても結局、母は芭子の将来に対して何を望んでいたのだろう。あれも駄目、これも駄目と言われたことばかりが思い出されるけれど、では、何か勧めてくれたことがあっただろうか。それを考えると、思い出せることがなかった。要するに、しかるべき相手と結婚すること以外は望んでいなかったのだろうか。そして、母と同じような人生を歩めば、それでいいと思っていたのだろうか。

だとすると、どっちみち期待には添えなかったかも知れない。

こんなになっちゃったし。

ふう、とため息をついたとき、柱時計がじぃ、と小さな音を立てた。鐘を打つ前に、小さなハンマーが動く音だ。ぼうん、ぼうん、と四つ鳴る。もう、朝が来る。今さら寝るのには遅すぎる。このまま起きているより仕方がない。

綾香は、もう仕事を始めていることだろう。

そういえば、綾香が働く姿をまだ見たことがなかった。芭子がこんな時間に起きていることなど滅多にないのだし、どうせなら、早朝から働いている綾香を見に行ってみようかと思いついた。もちろん、声などはかけない。ただこっそりと、頑張っている姿を見てみたいと思った。芭子は素早くコタツから抜け出すと、普段着の上に厚手のフリースを羽織り、完全防備で出かける支度をした。

まだ真っ暗な町に出てみて、はっとなった。寒いことは寒くても、明らかに真冬とは違っている。吐く息は白く見えるが、代わりに吸い込む空気には、何かの香りが含まれていた。夜明け前の闇《やみ》に溶ける路地は、まだまだ眠りに包まれていた。どこか遠くから、新聞配達のスーパーカブの音がしている。

こんな時間から、もう働いている人がいる。

好きだからか、仕方がないからかは分からない。けれど、うらやましかった。何もしていないより、ずっといい。今日はきっと、明日につながる。スニーカーの足で靴音を立てず、芭子はフリースのポケットに両手を入れた格好で、足早に歩いた。

綾香の勤めるパン店は、よみせ通り側から見るとシャッターは下りたまま、他の店と同じように、まだひっそりと闇に沈んでいた。芭子は、その店の少し先にある、建物と建物の狭い隙間《すきま》に足を踏み入れた。道路なのか、他人の家の敷地なのかも分からないが、とにかくいつも、そこから綾香が出てくるのだ。隙間を抜けていくと、砂利敷きの小道に出た。軒を連ねる商店の裏手を貫いている格好の路地らしい。その小道を、パン店の裏手に向かって戻りかけたとき、闇の中にばたん、という音が響いた。

「何度言ったら分かるんだよ、もうっ。あったま悪りぃんだからなあ！」

さほど大きくはなかったが、はっきりと聞き取れる男の声だった。芭子は、思わず建物の隙間に身を寄せた。ガチャンという、金属か何かの音も聞こえてきた。

「そんなんじゃあ駄目だって、言ってんだろうがっ」

「す、すいません、すいません！」

必死で謝っているのは、間違いなく綾香の声だ。けれど、あんなに慌《あわ》てた様子の、弱々しい声だっただろうか。芭子は思わず、闇の中で耳を澄ませた。

「ったくようっ。どうしてもやりたいっていうから、こっちだって我慢してんだってこと、忘れんなよなっ、おばさん！」

「忘れてないです。忘れてないですから。ホント、すいません。もう、もうね、ちゃんと、覚えましたから」

「嘘《うそ》ばっか、ついてんじゃねえよっ。大体さあ、所詮《しょせん》、向いてねえんじゃねえのか？いい歳《とし》して、マジで今さら一人前の職人になれるとでも思ってんのかよ」

「いや、もう、ホント、頑張りますから、ね」

「猫なで声、出してんじゃねえよ。寄るなよっ、キモいっつうのっ」

また、ガタンという音がして、ヒャアッという悲鳴のようなものが上がった。今度はくっくっくっという男の笑い声。

「ったく、ダセエよなあ」

「——すいません」

「ダンナさんたちもダンナさんたちだよなあ。夫婦揃《そろ》ってお人好《ひとよ》しだから。俺があんたの雇い主だったら、こんなばばあ、とっくのとうに放り出してんのによ。この前なんか、オーブンまでぶっ壊すしよう、ただ足引っ張ってるだけじゃねえかよ」

聞いている方がドキドキしてきた。芭子は建物に寄りかかったままで、ひたすら闇を見つめていた。あの夜、前触れもなく綾香がやって来たときのことを思い出す。馬鹿陽気な声を出して。にこにこ笑って——こちらはこちらで、尚之のことでパニックに陥っていたから、まるで気がつかなかった。

迂闊《うかつ》だった。

気がつくと、独りでに握り拳《こぶし》を作っていた。何て間抜けなんだろう。綾香の辛《つら》さなど、想像もしていなかった。ただ時々、いつにも増して馬鹿陽気な時があるな、というくらいにしか思わず、気に留めたことさえなかったのだ。

「もう、いいって。来んなよ、こっちにっ」

「そんなこと言わないで。ねえ、お願いしますから」

「じゃあ、先にそこの、片付けろよ！　この、グズ！」

声の主は分かっている。まだ二十二、三の青年が、やはりパン職人を目指して修業中だと、綾香が言っていたことがある。いくら若くても、職人としてはずっと先輩にあたるのだから、綾香は彼を尊敬しているし、色々と教わっているという話だった。その口ぶりから、何となく面倒見のいい青年で、綾香との関係も良好なのだろうとばかり思っていた。それが、こんなだったとは。綾香は毎日、こんな思いをしていたのだろうか。かれこれ一年以上も。それでも、必死で食らいついているということなのだろうか。

何を言われても「はい」「はい」と答える綾香の声がしていたと思ったら、ようやく辺りは静かになった。しばらくすると、闇の中に一際《ひときわ》白い光が広がった。裏口の扉が開いたのだ。砂利を踏む音がする。芭子は、ますます建物の陰に身を寄せた。

やがて、震えるようなか細い声が聞こえてきた。それは弱々しい、すすり泣きのように聞こえた。あんなことまで言われて、涙の出ないわけがない。あの綾香が泣いているところなど、絶対に見たくなかった。

綾さん。

こちらの胸が苦しくなるようだ。だが、よくよく耳を澄ませているうちに、待てよと思った。すすり泣きにしては、何かの節がついているようなのだ。そっと覗《のぞ》いてみると、闇を見上げ、わずかに首を振りながら、綾香は何か口ずさんでいるらしかった。その頼りないメロディーが、闇から濃紺へ変わり始めている空に溶けていく。

「――あぁあぁぁぁん、桜ぁ舞い散るぅぅ、弥生《やよい》ぃぃぃざぁかぁぁぁぁ」

囁《ささや》くような声が、確かにそう聞こえた。ふふふん、ふふふん、と今度は俯《うつむ》きがちに間奏らしきものを口ずさむ綾香の姿は、夜明け前の空気の中で、丸くて小さくて、何ともいえずちっぽけだった。

「おばさんっ！　ばばあっ！　早く来いって言ってんだよっ！」

突然ドアが開いて、また例の怒鳴り声が響いた。「あっ、はいはいっ」という声が聞こえて、綾香は店に飛び込んでいく。ばたん、と音がして、辺りには深い紺色の闇が残った。芭子は、そっと建物の隙間を戻った。まだ心臓がドキドキしている。悔しいような、切ないような、いたたまれない気持ちがこみ上げてくる。

あんなことまで言われて。

それでも耐えなければならない理由が、彼女にはある。それを知っているのは、芭子だけだ。

本当に、甘かった。

これだけの年月つきあっていればよく分かる。綾香という人は、どこか素《す》っ頓狂《とんきょう》だし、あっけらかんとしているが、だからといって無神経というわけではない。むしろ人一倍真面目《まじめ》で、几帳面《きちょうめん》で、思い詰めるところがある。だからこそ夫の暴力にも耐え続けたのだし、自分を追いつめて追いつめて、結局は、夫の首を絞めることになった。生まれて間もない我が子を残して、刑務所に行くことになったのだ。

「今日、雛《ひな》祭りじゃない？　ちらし寿司《ずし》でも作ろうかと思うんだけど」

明るくなるのを待ってから、芭子は綾香の携帯電話にメッセージを残した。すると十時過ぎに、今度は芭子の携帯が鳴った。いつもと変わらない陽気な声が「ハローー！」と聞こえる。

「今日、おひな様だったんだね。すっかり忘れてたよ」

「だと思った。ねえ、だから、宴会しようよ」

「でも、芭子ちゃん、ちらし寿司なんて作れるの？」

「ちらし寿司の素《もと》とか使えば、誰にでも出来るもんでしょう？　あとは、上にのせる卵とか、海老《えび》とか、ええと、何か色々、用意するから、仕事が終わったら、真っ直《ます》ぐに来て」

「真っ直ぐって」

「だって、綾さん、遅くまではいられないでしょう?」

「まあねえ。明日に響くとヤバいから」

「だから早くから始めよう。もう、明るいうちから出来るように、私、これから準備するから。お酒も、今日は飲んじゃおう」

「芭子ちゃんが暇っていうのも、こうなってくるとイイもんだね」

笑い声と共に言う綾香に、芭子も出来るだけ明るく「そうでしょう」と応《こた》えた。

8

四時過ぎにやってきた綾香は、茶の間に入るなり、「あっ」と声を上げて雛人形の前に立った。

「どうしたの、これ」

まだリュックサックも背負ったままの格好で、いかにも驚いた表情で振り返る綾香に、芭子は小さく微笑《ほほえ》んで見せた。すると綾香は、それだけで「なるほど」というように頷《うなず》く。

「弟、さんか」

「送ってきたの。差出人の欄に自分の名前も書かないで、私本人って書いて」

「何、それ」

軽く首を傾《かし》げてみせるだけで十分だった。芭子は再び台所に戻って、用意出来ている料理から順に、茶の間に運び始めた。

「私も何か手伝うよ」

「綾さんは、座ってて。今日は、お客様だから」

「お客様って。年中、来てるんじゃないよ。どうして今日に限ってお客様なの」

「おひな様だから」

流しに来て手を洗っている綾香に笑いかけると、綾香は口をへの字に曲げて、妙な顔になる。

「あとはもう運ぶだけだし。座っててよ、ね。あ、そうだ」

綾香の背中を押しながら、二人で茶の間に行く。いつものイチゴ模様の座布団《ざぶとん》に綾香を座らせると、芭子はコタツの上のノートパソコンを引き寄せた。

「これでも聴いてて」

「これ？　これって、パソコンじゃない」

「音楽も聴けるの」

あらかじめ立ち上げてあるソフトのプレイの位置をクリックしてから、芭子はまた台所に戻った。それと同時に、高い音色の弦のつま弾きと淋《さび》しげな尺八の音色、それに続いて打ち寄せる波のような独特のイントロが聞こえてきた。再び「ああっ」という綾香の声が聞こえてきて、芭子はつい笑ってしまった。

「芭子ちゃん、こっ、これ！　漣さまじゃないよっ。ちょっと、あんた、どうしたの、これ」

「しいっ。せっかく買ってきたんだから、おとなしく聴いててよ」

「芭子ちゃん、これ、買ってくれたの？　わざわざ？　漣さまのために？」

「ちゃんと、聴いててってば」

漣さまなんかのためであるはずがないではないか。まったく、とんちんかんなことを言う。芭子はつい苦笑しながら、密《ひそ》かに茶の間の様子をうかがった。綾香はコタツに向かい、背中を丸めて歌に聴き入っている。

坂道を　息をはずませ
のぼってた
吹き抜けるのは　光るかぜ
もうすぐ逢《あ》える　うれしさで
胸が　苦しくなるのです
心だけでも　もっと
ひとあしだけでも　はやく
あなたに届けと　いのります
ああ　桜舞い散る　弥生坂
坂道に　たたずんだまま
見上げてた
燃えつきてしまえと　陽の光
ふるえる心　切なくて
声さえ　出せずにいるのです
吐息だけでも　もっと

匂《にお》いだけでも　感じて
私にだけと　夢みます
ああ　蟬《せみ》がしぐれる　三浦坂

坂道に　影をおとして
なみだぐむ
ひとりの影まで　逃げてゆく
消え入りそうな　たよりなさ
思わず　ふるえているのです
出会わなければ　よかった
言葉なんか　いらなかった
くやむ我が身が　かなしくて
ああ　月も泣いてる　異人坂
坂道を　前だけ向いて
あるきます

身を切る風さえ　ここちよく
こころを決めよと　背を押して
迷いを　飛ばしていくのです
さだめと思う　人だから
ふたたび逢えない　恋だから
いのちを燃やして　ただ前へ
ああ　鐘の音ひびく　御殿坂

確かに朗々としてはいるが、何とも粘っこいというか、妙なくせのある歌声だった。第一、この間奏の演出過剰なことは、どうだ。それより何より、男の声が女の恋心を歌うというのが、やはり芭子には、どうも居心地が悪く思えて仕方がない。要するに、芭子の感性には合わないのだ。だが茶の間からは「ああっ、いいわぁ」という綾香の声が聞こえてくる。

「やっぱり、いい！　もうさあ——あっ、カラオケまで入ってるの、これ」

続けて聞こえてきた音楽に合わせて、今度は綾香がブツブツと歌い始めている。

「綾さん、CDは買ってなかったの」

「だってさあ、一応ね、今の状況じゃあ、それも贅沢《ぜいたく》かなあとか、思うわけじゃない？　だから、漣さまには申し訳ないけど、我慢してた」

料理を運びながら尋ねると、綾香は面目なさそうに首を縮めた。

そうではないかと思ったのだ。綾香のことだから、普通に考えれば、芭子がいくら嫌がったって無理矢理にでも聴かせるはずなのに、今回に限って、彼女はそういうことをしなかった。少し前、綾香は詐欺《さぎ》の被害に遭って、刑務所を出てから必死で働いてコツコツと貯《た》めてきた財産の大半を、だまし取られてしまった。あのときばかりは、さすがの綾香も明るく振る舞うことを忘れ果てた表情で、ひどく落ち込んでいた。だからこそ今、彼女は以前にも増して必死で働いている。

「だからもう何回も、『FMやねせん』にリクエストしてるんだよね。あそこ、意外とすぐ、かけてくれたりするから」

「じゃあ、それだけで歌詞まできっちり覚えたんだ」

そして、嫌なことがある度に、ああして一人で口ずさんでいるのだろう。やはり、わざわざ西日暮里まで行って、やっとのことで見つけてきた甲斐《かい》があったと思った。それにしても、普通のCDショップなどでは売られていないCDや、名前も聞いたことのない歌手が世の中にはあんなにも多いということを、芭子は、綾香から聞いた店を訪ねて初めて知った。スポットライトを浴びることなどなくても、好きな道を歩んでいる人が、こんなに多いのかと思うと、何となく胸のあたりがざわついたほどだ。

「さあ、じゃあ、乾杯しようか」

今日は桃の花に、菜の花と青麦の穂も買ってきて活《い》けてみた。コタツの上には、見よう見まねで何とか用意したちらし寿司にサラダ、鶏もも肉の山椒《さんしょう》焼き、ひじきの煮付けなどが並んだ。芭子自身、こんなに色彩のにぎやかな食卓に向かうのは、実に久しぶりだった。

「あ、本物のビールじゃない。すごい、贅沢」

「まあね。今日は特別」

それからしばらくの間、綾香はすべての料理に箸《はし》を伸ばしては、一つ一つに「美味《おい》しい」を連発してくれた。つい今朝方、青二才の先輩から、あんな怒鳴られ方をしていたとも思えないくらいに、にこにこと機嫌のいい顔をしている。店に現れた客の話や、隣近所の商店主の噂《うわさ》などを聞かせては、「うはははは」と笑う彼女に、芭子が出来ることといったら、せいぜい笑顔を返すことくらいだった。

「ねえ、もう一回聴こうよ。『谷中さか道・恋ごよみ』」

「いいけど。これで最後ね。これ、持って帰っていいから」

「えっ、芭子ちゃんはもう聴かないつもりなの？　漣さまの声を？　平気なの？」

「ぜんぜん」

「ええっ！　ちょっと、芭子ちゃん、あんた、この声を聴いて、心臓が震えないわけ？」

「ふるえない」

「うわっ。駄目だわ、そんな感性じゃ！　あんたさあ、ねえ、芭子ちゃん、若いんだから」

「若いから、ふるえないの」

わざと言ってやる。すると綾香は、また精一杯に目を見開いて、いかにも驚いた顔で「信じられない」と言った。今日、芭子は思ったのだ。芭子なりに、少しでもこの人を支えられるような存在になりたい。この世の中に誰か一人くらい、芭子をあてにして、頼りにしてくれる人がいてくれてもいいではないかと思う。そのためには、もう少し、しっかりしなければいけなかった。ただ泣いてばかりいるのは今日で終わりにしなければと自分に言い聞かせた。

「第一、『ポピー』に行ったんでしょう？　じゃあ、ウィンドウに貼《は》られた漣さまのポスター、見たでしょうが」

「見たよ。ただのおじさんじゃない？　ちょっと派手なスーツ着てるだけの」

綾香は、まるで心臓発作でも起こしたかのように「うっ」と自分の胸を押さえると、本当に目を白黒とさせ、次には、はあ、はあ、と息切れをして見せた。

「芭子ちゃん！　漣さまって、まだ三十四なんだよ」

「信じられない！　私と大して違わないの？　あれで？」

気持ち悪い、と大げさに笑ってみせる。すると綾香は「なんてこと言うんだろう、この子は」と、余計に膨れっ面《つら》になった。綾香は綾香で、こうすることで仕事の辛《つら》さを忘れている。それなら、芭子の方でも同じようにすべきかも知れなかった。辛い、苦しい、悲しいと、何でもかんでも正直に言えばいいというものではないと、初めて知った。

「ねえ、綾さん。私、明日から仕事探し、始めようかと思って」

一本目のビールが空いて、二本目のロング缶を持ってきたところで、芭子は少し口調を変えた。綾香は「そう」と目を細めた。

「やっと、その気になったんだ。でもさ」

「でも、なに？」

「すぐにデビュー出来るなんて、思わない方がいいと思うよ」

「またっ、綾さんは！　歌手になるんじゃなくて、仕事探すんだって言ってるでしょうっ」

するとと綾香は、わざととぼけた表情で「あれえ？」などと言う。

「歌手になろうよぉ？　ねえ、今からでも遅くないかも知れないんだからさあ、ボイストレーニングとか、そういうのだけでも受けてみれば？　あそこの『ポピー』にも、生徒募集って書いてあったでしょう」

「まだ、そんなこと言ってる。それで、売れない演歌歌手になれっていうの？」

「で、私がマネージャーになってさあ、漣さまたちと、どさまわりの人生。ちょっと、いいと思わない？　そういうのも」

「それで、いつか、刑務所に慰問とか行っちゃって？」

「そうそう！　皆さんのお気持ちは、私たち、ようっく分かりますよって言って」

「歌っちゃうわけ？『どん詰まりの女』とか」

「『寝るときは明かりを消して欲しいのぉ』とかさ。『おねがい、お古のパンツはやめて』とか」

つい、吹き出しそうになった。いちいち胸に突き刺さりつつも、その言葉の切実さが、芭子には分かるのだ。綾香も一緒になって笑っている。見知らぬ女たちの寝息に囲まれて、薄ぼんやりとしたオレンジ色の光の下で眠らなければならない窮屈さや、刑務所で支給される着古しの下着のことは、今だって忘れたくても忘れられるものではない。

「――私、慰問でも嫌だよ。あんなとこ行くの、二度と」

ようやく笑いがおさまったところで、ため息混じりに呟《つぶや》いた。

「じゃあ、歌手は駄目か」

「駄目、駄目。取りあえず自分に何が出来るか分からないから、これから働きながら、考えてみるつもり」

さすがに、窓の外が暗くなってきた。芭子は箸を置くと、まずは二階の雨戸を閉めに行った。ことに芭子が寝室に使っている部屋は、どうも雨戸がガタガタと引っかかって、いつも開《あ》け閉《た》てに時間がかかる。そうこうするうちに、階下から再び、あの大げさなイントロが聞こえてきた。綾香は自力でパソコンを操作したらしい。その上、最大限のボリュームにしているようだった。

「ちょっと、綾さん！　音が大きいっ」

ガラス戸を閉め、カーテンを引きながら声を上げる。だが、例の粘っこい男の声に合わせて、綾香の声まで聞こえてきては、もう手の施しようがなかった。

「もう、そんな歌がうちから聞こえてたら、私が誤解されちゃうんだから」

ぶつぶつと独り言を言いながら、今度は同じ二階の、路地に面した四畳半の窓を勢いよくがらりと開けたときだった。家のすぐ前の路地に立って、ぽかんとした顔でこちらを見上げている男たちがいた。はす向かいの「怒りボタン」と、例の警察官だ。

芭子は、窓を開け放ったまま、しばらくの間、呆然《ぼうぜん》と二人の男を見下ろした。まるでステレオみたいに、背後からも、また路地側からも、「あ、あんあんあん」という男と女の歌声が響いていた。もう、とっくにあきらめていた芭子の自転車が見つかったと知ったのは、それから数分後のことだった。

不器用な二人の物語

重里徹也

この『いつか陽のあたる場所で』は、小森谷芭子《こもりやはこ》と江口綾香《えぐちあやか》の日々を描いた連作シリーズの記念すべき一冊目になります。

今も書き継がれていて、数々の作品で知られる乃南アサさんにとっても、大切なシリーズになりそうです。音道貴子シリーズなどとともに、代表作の一つになるのではないでしょうか。

この本では、芭子は二十九歳。綾香は四十一歳。二人は干支《えと》が同じで（干支が同じだから、相性がいいのでしょうか）、ちょうど一回り歳《とし》が違う設定になっています。

彼女たちの暮らしを追ううちに、正面切った言い方になってしまいますが、人生について考えさせられます。

人が生きるとはどういうことなのか。何が生きる意味を与えてくれるのか。喜びや哀《かな》しみは何に由来しているのか。そんなことをしみじみと考えさせられるシリーズになっているのです。

小説の中心にある設定は、芭子も、綾香も、誰にも言えない過去を背負って生きているということでしょう。

東京の裕福な家のお嬢さんに育った芭子は、大学に在学していた二十二歳の時にホストに入れあげてしまいました。好きで好きでたまらなくなった彼に貢《みつ》ぐために、伝言ダイヤル（電話で暗証番号を入力すると伝言の録音や再生が受けられるサービス。男女が出会うシステムとして、特に一九八〇年代後半に盛んに使われました）で適当な男性を見つけては、ホテルに連れ込んで薬を飲ませ、眠らせて金を盗んでいました。それで、昏酔強盗罪に問われ、七年間の刑務所生活を送ることになってしまったのです。

綾香の過去も暗いです。長年にわたる夫の暴力に耐えかねて、思い余って、夫を殺してしまいました。彼女は地方都市の出身で、地元の中小企業にOLとして勤め、二十六歳で結婚しました。その直後から、夫のドメスティック・バイオレンスに苦しみ、骨折や流産を何度も経験しました。結婚十年目。夫の暴力が、やっと生まれた我が子にまで及びそうになった時、酒を飲んで寝入っている夫の首をネクタイで絞めて殺害してしまったのです。そして、五年間にわたって、刑務所で過ごすことになってしまいます。

懲役を終え、刑務所で知り合った芭子と綾香は東京の下町・谷中界隈《かいわい》で暮らし始めます。芭子は祖母が住んでいた古い一戸建て。綾香はアパート。芭子はマッサージ治療院でアルバイトをし、綾香はパン屋でパートタイムで働いています。

そんな二人の生活が、芭子の視点から描かれていきます。前科を持つ二人の日々は厳しいものです。

芭子は両親や弟から絶縁され、冷たく残酷な仕打ちを受けます。アルバイト先ではセクハラを受け、自分は一体、何のために生きていけばいいのか、と悩みます。将来の展望がなかなか見えてこないのです。

綾香の生活も大変です。毎朝、早くからパンづくりのハードな労働に、懸命に取り組んでいるのです。

そんな二人にとっての楽しみといえば、月に何度かの地味な外食か、働いた後で飲むビールもどきぐらいでしょうか。

この本には、四つの短篇が収録されています。それぞれの物語に起伏がつくられ、二人の切ない思いが響いています。

各篇に共通した魅力をいくつか挙げてみましょう。

まず、二人の主要人物の造形の彫りが深くて、くっきりとしていることです。輪郭がはっきりしているといってもいいでしょう。

芭子は、よく泣きます。感情の揺れが大きいように見受けられます。一方で、結構、プライドが高い印象を受けます。それ故《ゆえ》になのか、よく考え方が後ろ向きになります。自らが犯した罪を悔やむことも多いです。悔やんでも、悔やんでも、一度起こしてしまったことは消せません。過去は取り返せないのです。そんな、この世の摂理をかみしめながら生きています。

芭子は、実は哀しいまでの純粋さを内に持った女性です。一途《いちず》なところがあります。彼女が犯罪を犯してしまったのは、度を越して一途だったからだともいえます。

芭子について考える時に興味深いのは、七年間、刑務所にいる間に随分といろいろなことを学んでいることです。刑務所が彼女の「大学」だったのではないか、と思えたりします。

そんな芭子が面白い述懐をする場面があります。多くの人は犯罪を犯す前に踏みとどまる。一体、犯罪を犯す人間と、刑務所に行くまでには至らない人間とはどこが違うのか。

大多数の人は〈その寸前の適当なところで踏みとどまるか、もう少し要領よく立ち回ることが出来る。ほどほどということを知り、誘惑からも、犯罪からも、するりと上手に逃れるものだ。それが出来なかった愚か者だけが、大した決断もないままに一線を越えてしまうのだ〉。

〈意志の弱さか、運の悪さか、誘惑への脆《もろ》さか〉。

芭子は自分の不器用さをよく自覚しているように思えます。世の中に対しても、自分自身に対しても、怖々と慎重に生きているのは、そんな理由からです。

一方、年上の綾香は、明るい女性です。惚《ほ》れっぽくて、どこかしっかりしていそうで、実は隙《すき》だらけで、抜けているところもありそうです。芭子はこんなふうに考えています。

〈確かに年齢は上なのだが、この綾香にはどうも心配になるところがある。芭子から見ても、どこか脇《わき》が甘いというか、お人好《ひとよ》しな感じがして仕方がないのだ〉

作者は、芭子についても、綾香についても、彼女たちが持っている弱さというか、脆さというか、危うさというか、あるいは、不器用さと形容すれば、一番適切なのかもしれません、そういうものをとてもうまく読者に伝えてくれます。また、そんな性格も、犯罪を犯す要因の一つになったかもしれないと暗示されています。

芭子の感情に流されやすい面や、綾香の一人で納得してしまうようなところは、かなり危なっかしいのです。

しかし、こうもいえるように思えます。危なっかしくない人間なんて、果たして何人いるだろうか。確かに、大多数の人間は、犯罪を犯す前に踏みとどまっています。でもそれは、単に運がいいという面もあるのではないのか。いつ誰が犯罪を犯してしまうかわからないというのが、この世というものではないのだろうか。愛すべき二人のことを思うと、そんなことも考えさせられるのです。

二人のいい面も作者は丁寧に浮き彫りにしています。芭子の他人に対して悪気がなく、優しいところ。綾香も、思いやりの深い女性で、芯《しん》の強さも発揮しています。この小説の魅力の二つ目に数えたいのは、そんな二人の友情です。この小説は、女性同士の友情をテーマにしています。一緒に暮らすことはせず、程よい距離を取りながら、お互いに励まし合う二人。つらい時も、嬉《うれ》しい時も、それを分かち合う二人。物語全体を大きな太い幹のように、二人の友情が貫いています。

だから、何だか、読んでいて心が温まるのではないでしょうか。さわやかな風が吹くような思いにかられるのではないでしょうか。

人生をいくらか経験すると、まがいようもなく、この世には一つの真実があることに気づきます。それは、いかに友人が大切か、いかに友情が尊く、ありがたいものか、ということです。

芭子と綾香の友情の厚さは、このシリーズの何よりの輝きでしょう。

一方、舞台になっている東京の下町の雰囲気も、何とも魅力的です。街の懐《ふところ》が深いといえば、いいのでしょうか。

人々がみんな陽気で、前向きなんですね。たくましいといってもいいかもしれません。頑固な老人も憎めない人だし、近所のお婆《ばあ》さんは親切だし、居酒屋の店員も、フレンドリーです。彼らの張りのある声や情のある挨拶《あいさつ》が聞こえてきそうな気がします。

それが、路地の濃密な空気や、ネコや金魚といった小動物や、盆栽の植木鉢やコオロギの鳴き声と相まって、二人も、読者も、心をなごませられるのです。

希望とは、路地の植木鉢に咲く、小さな盆栽の白梅の花のことではないか。そんなことを考えてしまうのです。

警察官の高木聖大《たかぎせいだい》が登場するのも、乃南作品の読者には、嬉しい限りでしょう。長篇小説『ボクの町』で私たちの前に新米警官として姿を現し、続いて短篇集『駆けこみ交番』を経て、彼はどんなキャリアを積んできたのでしょう。

おっちょこちょいだけれど、心の優しい彼が、芭子にひかれるのは（聖大というのは、だいたい惚れっぽいヤツですが）楽しい展開だし、あれ、結構、女性を見る目があるかも、と思ったりしてしまいます。

おいしいものがたくさん出てくるのも、楽しいですね。カボチャの煮物、焼きサンマ、肉じゃが、コロッケ、土佐料理。今夜の晩御飯に食べたくなってきます。発泡酒とともに、これも、路地に咲く小さな花のようなものではないか、と考えたりしてしまいます。

ところで、すぐれた作家は、みんな恐ろしい一面を持っています。言葉によって、この世とは別の世界を作ってしまうのだから、当然のことです。

乃南さんも、そんな一人です。私などが感じるのは、乃南さんの怖さは、特に人間の悪意というものをよく知っていて、それを鋭く表現するところにあるように思います。

この本に収められている四つの短篇を読まれた方は、思い出してください。このシリーズでも、やはり、さまざまな悪意の形が表現されていました。

つましく暮らしている二人も、そんなものに翻弄《ほんろう》されたりもします。そんな悪意が描かれるからこそ、小さな希望が輝くともいえるでしょう。

ただ、大急ぎで付け加えたいのですが、こうもいえるのです。芭子や綾香についてだって、さまざまな面が描かれているのではないか。乃南さんはそれを周到に表現しているのではないか。純粋なばかりではない芭子、優しいばかりではない綾香。注意深く読むと、二人のそんな面もチラチラ見えてくるように思うのです。乃南さんは、二人に存分に同情を注ぎながらも、どこかで相対化していて（距離を置いて眺めていて）、二人を単に「いい人」ではなく、もっと複雑に、立体的に描いているのです。

もちろん、この浮世に、善意だけの人間なんて、なかなか見つからないでしょう。特に、二人は人間の「悪」というものについて、その体験から比較的、自覚的なところがあって、そこも、愛すべきヒロインたちの条件にかなっているように思えるのです。この世で一番救いがたいのは、自らの悪意に鈍感な人たちですから。

本を閉じると、ブラっと谷中や根津を歩きたくなってきます。店先で買ったコロッケかメンチカツを食べながら、できるだけ、路地を選んで。盆栽の小さな花が見つかったり、虫の鳴き声が聞こえてきたりすることはあるのでしょうか。

人生につまずくことは世の常でしょう。

そんな中で小さな希望を見つけることができるのかどうか。そして、二人の友情はどんなふうに深まっていくのか。このシリーズから、目を離せません。

（二〇〇九年十二月、毎日新聞編集委員）

この作品は平成十九年八月新潮社より刊行された。

いつか陽《ひ》のあたる場所《ばしょ》で

新潮文庫　の－8－61

平成二十二年二月一日発行
平成二十五年一月三十日九刷

著者　乃《の》南《なみ》アサ

発行者　佐藤隆信

発行所　株式会社 新潮社

郵便番号　一六二—八七一一
東京都新宿区矢来町七一
電話 編集部(〇三)三二六六—五四四〇
読者係(〇三)三二六六—五一一一
http://www.shinchosha.co.jp

価格はカバーに表示してあります。

乱丁・落丁本は、ご面倒ですが小社読者係宛ご送付ください。送料小社負担にてお取替えいたします。

印刷・大日本印刷株式会社　製本・憲専堂製本株式会社

ISBN978-4-10-142549-8 C0193